Peter Seewald

Verwaltungsstrafen – ArbeitnehmerInnenschutz – Ethik – Wie geht das zusammen?

Eine Studie im Bereich der Arbeitsinspektion in Österreich

Diplomica Verlag

Seewald, Peter: Verwaltungsstrafen – ArbeitnehmerInnenschutz – Ethik – Wie geht das zusammen? Eine Studie im Bereich der Arbeitsinspektion in Österreich, Hamburg, Diplomica Verlag 2022

Buch-ISBN: 978-3-96146-898-0
PDF-eBook-ISBN: 978-3-96146-398-5
Druck/Herstellung: Diplomica Verlag, Hamburg, 2022

Bibliografische Information der Deutschen Nationalbibliothek:
Die Deutsche Nationalbibliothek verzeichnet diese Publikation in der Deutschen Nationalbibliografie; detaillierte bibliografische Daten sind im Internet über http://dnb.d-nb.de abrufbar.

© Diplomica Verlag, Imprint der Bedey & Thoms Media GmbH
Hermannstal 119k, 22119 Hamburg
http://www.diplomica-verlag.de, Hamburg 2022
Printed in Germany

Kurzbeschreibung

Die Arbeitsinspektion ist die wichtigste Behörde in Österreich zur Wahrnehmung des ArbeitnehmerInnenschutzes.

Die Arbeitsinspektion ist Teil der öffentlichen Verwaltung und unterliegt daher den diversen Erwartungshaltungen von z.B. den Arbeitgeberinnen bzw. den Arbeitgebern. Da der Staat das Zusammenleben von Menschen durch Anordnungen regelt und auch die Arbeitsinspektion im Bereich des ArbeitnehmerInnenschutzes Anordnungen zu vollziehen hat, sollten die Normadressaten, wie eben beispielhaft die Arbeitgeberinnen bzw. Arbeitgeber, diese Anordnungen auch verstehen. Um die Verwirklichung dieser Anordnungen zu sichern, werden entsprechende Sanktionen festgelegt die schluss-endlich in einem Verwaltungsstrafverfahren enden können.

Verwaltungsstrafverfahren sind naturgemäß nicht positiv konnotiert und somit beschäf-tigt sich diese Studie mit der Thematik inwiefern Verwaltungsstrafen eine Änderung der Einstellung zu den ArbeitnehmerInnenschutzrechten und zur Behörde Arbeits-inspektion bewirken.

Weiters beschäftigt sich die Studie auch mit der Thematik der Wahrnehmung eines etwaig ethischen Handelns durch Organe der Arbeitsinspektion im Umfeld des Be-reichs der Feststellung von Übertretungen, deren Nichtbehebung und des folgenden Verwaltungsstrafverfahren.

Einführung und Dankesworte

Der Staat regelt das Zusammenleben von Menschen durch Anordnungen und betraut die Verwaltung mit dem Vollzug dieser. Um die Verwirklichung der Anordnungen zu sichern sind bestimmte Sanktionen festgelegt, welche mitunter auch in einem Verwaltungsstrafverfahren enden können. Ein Verwaltungsstrafverfahren ist jedoch kein Selbstzweck. Vielmehr sollte es das Ziel des Verwaltungsstrafverfahrens sein, die Bestrafte bzw. den Bestraften zukünftig von unrechtmäßigem Handeln abzuhalten.

Ob jedoch ein rechtskräftig abgeschlossenes Verwaltungsstrafverfahren eine Bestrafte bzw. einen Bestraften wirklich zu einer geänderten Einstellung zu den ArbeitnehmerInnenschutzbestimmungen[1] und auch zur Arbeitsinspektion, jener Behörde die die Übertretung zur Anzeige brachte, bewegt, war nicht bekannt und wurde dahingehend Forschungsbedarf erkannt. Weiters sollte auch ein etwaig ethisches Handeln der Organe der Arbeitsinspektion[2] im Umfeld des Bereiches des Verwaltungsstrafverfahrens eruiert werden.

Das Interesse an der Thematik der gegenständlichen Studie liegt einerseits in meiner beruflichen Tätigkeit als Arbeitsinspektor und andererseits an meinem Interesse an christlicher Religion, dies vor allem hinsichtlich des Zugangs zum Ethikbegriff, an Zeit- und Verwaltungsgeschichte, sowie an der Modernisierung der Verwaltung begründet.

Die gegenständliche Studie war geprägt durch die COVID-19-Pandemie und dauerte daher über ein Jahr. Die Pandemie stellte für die Umfrage eine Herausforderung an eine sensible Gesprächsführung dar, waren doch etliche Arbeitgeberinnen bzw. Arbeitgeber mit der wirtschaftlichen Neuausrichtung ihrer Betriebe beschäftigt. Doch gerade diese Zeit der Krise wurde auch als Chance für die Positionierung der

---

[1] Anmerkung des Autors: Das im Wort ArbeitnehmerInnenschutz groß geschriebene Binnen-I wird deshalb verwendet, da dies aus dem ArbeitnehmerInnenschutzgesetz (ASchG), BGBl. Nr. 450/1994, dies ist das einzige Gesetz in dem das Binnen-I bei Bezeichnungen von Personengruppen deutlich machen soll, dass sowohl die männliche als auch die weibliche Form gemeint ist, ohne beide Genera ausschreiben oder das generische Maskulinum verwenden zu müssen, abgeleitet wird.
[2] Anmerkung des Autors: Organe der Arbeitsinspektion sind natürliche Personen, denn nur durch diese kann die Arbeitsinspektion handeln.

Behörde Arbeitsinspektion im Hinblick auf deren kunden- und serviceorientiertes Verhalten erkannt.

Aus diesem Grund geht ein besonderer Dank an alle Interviewpartner, denn erst durch deren Bereitschaft mir für Gespräche zur Verfügung zu stehen, war die Realisierung der Studie möglich. Dies stellt keine Selbstverständlichkeit dar, fällt es doch dem Menschen wesentlich leichter über seine Stärken als über seine Schwächen zu sprechen und sind Verwaltungsstrafverfahren sicher unter dem Begriff der Schwäche zu subsummieren.

Besonders bedanken darf ich mich bei HR Ing. Andreas Kuschel (Leiter des Arbeitsinspektorates NÖ Wald- und Mostviertel), stand dieser der von mir vorgeschlagenen Thematik der gegenständlichen Studie äußerst wohlwollend gegenüber und erkannte bereits vorab den Mehrwert für die Organisation Arbeitsinspektion.

Mein Dank gilt auch SC[in] Mag.[a] Dr.[in] Anna Ritzberger-Moser (Leiterin der Sektion Arbeitsrecht und Zentral-Arbeitsinspektorat im Bundesministerium für Arbeit), die für ein kunden- und serviceorientiertes Handeln der Arbeitsinspektion steht.

St. Pölten, im Frühjahr 2022   Peter Seewald

Inhaltsverzeichnis

VI

Abkürzungsverzeichnis

Abs.	Absatz
AG	Arbeitgeber bzw. Arbeitgeberin
AMed	Arbeitsmediziner bzw. Arbeitsmedizinerin
a.o.	außerordentlicher
ArbIG	Arbeitsinspektionsgesetz
Art.	Artikel
ASchG	ArbeitnehmerInnenschutzgesetz
Aufl.	Auflage
B-BSG	Bundesbedienstetenschutzgesetz
BDG	Beamten-Dienstrechtsgesetz
BGBl.	Bundesgesetzblatt
BMASK	Bundesministerium für Arbeit, Soziales und Konsumentenschutz
bzw.	beziehungsweise
Dr.	Doktor
Dr.in	Doktorin
DDr.	Doktor Doktor
d.h.	das heißt
Dipl.-Ing.	Diplomingenieur
Dr. jur.	Doktor juris

Dr.med.	Doktor medicinae
ebd.	ebenda
et al.	et alii (und andere Autoren bzw. Autorinnen)
f.	folgende
ff.	fortfolgende
geb.	geboren
gv.	government
Hrsg.	Herausgeber
htm.	Hypertext Markup
html	Hypertext Markup Language
http	Hypertext Transfer Protocol
https	Hypertext Transfer Protocol Secure
IALI	International Association of Labour Inspection
idgF.	in der geltenden Fassung
ILO	International Labour Organization
Ing.	Ingenieur
i.R.	in Ruhe
jur.	juris
k.k.	kaiserlich-königlich
LK	Lukas
Mag.	Magister

Mag.[a]	Magistra
Mt	Matthäus
n.	nach
NPM	New Public Management
Nr.	Nummer
o.	ordentlich
OAI	Organe der Arbeitsinspektion
oJ	ohne Jahr
o.V.	ohne Verfasser
pdf	Portable Document Format
PG	Pensionsgesetz
S.	Seite
SC	Sektionschef
SC[in]	Sektionschefin
SFK	Sicherheitsfachkraft
St.	Sankt
SVP	Sicherheitsvertrauensperson
Univ. Prof.	Universitätsprofessor
URL	Uniform Ressource Locator
VB	Vertragsbediensteter
VBG	Vertragsbedienstetengesetz

Vgl.	vergleiche
v.	vor
www	World Wide Web
WIFO	Österreichisches Institut für Wirtschaftsforschung
z.B.	zum Beispiel

1. Einleitung

Im Kapitel Einleitung wird nach dem Eingehen auf die Ausgangslage und die Problemstellung, der Auslegung des Forschungsgegenstandes und der Zielsetzung die zur Anwendung gelangende Methodik der gegenständlichen Studie näher ausgeführt.

1.1 Ausgangslage und Problemstellung

In einer Zeit der Veränderung, vom verschwinden unbefristeter Vollzeitarbeitsstellen in Richtung sogenannter atypischer Beschäftigungsverhältnisse, wo auch Schulz[3] im Jahre 2013 erkannte, dass dadurch Lohn- und Rentenkürzungen kommen und ArbeitnehmerInnenschutzrechte[4] beschnitten bzw. abgeschafft werden[5], wo ein völliger Umbruch der Arbeitswelt und dadurch auch der Gesellschaft[6] entsteht, wo die Globalisierung immer mehr voranschreitet und sich alles, wirklich alles beginnend von der Kultur über die Politik bis hin zu Sozialem, sich der Wirtschaft unterordnen soll[7], wird von manchen, so auch bereits im Jahre 2011 von Schelling[8], der Wert des ArbeitnehmerInnenschutzes als ideales Beispiel der Gesetzgebung in Zusammenhang mit dem Bewusstsein für ein gesundes Leben erwähnt[9], immer wichtiger.

Da zu Zeiten diverser Krisen wie z.B. der COVID-19-Pandemie es oftmals zu einer angespannten Situation am Arbeitsmarkt kommt, verbunden mit dem Wunsch der Wirtschaft nach Verlängerung der Ladenöffnungszeiten und der Arbeitszeiten, wird in diesem Zusammenhang auch auf die Diskussion über die Abschaffung des arbeitsfreien Sonntags hingewiesen. Bis dato war die Notwendigkeit einer Wochenendruhe,

---

[3] Anmerkung des Autors: Martin Schulz, geb. am 20. Dezember 1955, von 2012 bis 2017 Präsident des Europaparlaments, Deutscher Bundestag, http://martin-schulz.eu/wp-content/uploads/2019/12/CV_MS_deutsch.pdf (abgerufen am 04.03.2021).
[4] Anmerkung des Autors: siehe Fußnote 1.
[5] Vgl. Schulz, Martin, Gründe und Auswege für die Existenzkrise Europas, in: trend, August 2013, S. 42.
[6] Vgl. Hochleitner, Albert, Neue Arbeitswelt und Technologie, in: Wailand, Georg (Hrsg.), Unsere Zukunft ist bunt, Das ganz andere Österreich, Ergebnisse aus der UNIQA-Zukunftsstudie, Wien, Hamburg, 1999, S. 73.
[7] Kellermann, Paul, Arbeitnehmer/innen – Schutz aus soziologischer Sicht, in: Resch, Reinhard (Hrsg.), Arbeitnehmerschutz, Schutz für Gesundheit, Sittlichkeit und Vermögen, Wien, 2005, S. 16.
[8] Anmerkung des Autors: Mag. Dr. Hans Jörg Schelling eigentlich Johann Georg Schelling, geb. am 27. Dezember 1953, von 1. September 2014 bis 28. Dezember 2017 Bundesminister für Finanzen der Republik Österreich, Republik Österreich, Parlamentsdirektion, https://www.parlament.gv.at/WWER/PAD_36907/ (abgerufen am 04.03.2021), Wikipedia, Die freie Enzyklopädie, https://de.wikipedia.org/wiki/Hans_J%C3%B6rg_Schelling (abgerufen am 04.03.2021).
[9] Vgl. Schelling, Hans Jörg, Wir müssen in Prävention investieren, in: FORMAT, Sonderheft zu FORMAT 33 (2011), S. 45.

in die der Sonntag zu fallen hat, gesellschaftlicher Konsens und wurde dieser auch durch gesetzliche Regelung[10] zum Ausdruck gebracht.

ArbeitnehmerInnenschutz soll sich jedoch nicht nur an arbeitsrechtlichen Vorgaben orientieren, sondern meint Schwarz[11] hierzu: „Wir brauchen eine ‚synchronisierte Zeitstruktur', die es den Menschen ermöglicht, gemeinschaftlich zu handeln, soziale Bedürfnisse zu pflegen und für ein gutes Zusammenleben zu sorgen. Es geht darum, den kulturellen Rhythmus zwischen Arbeit und Ruhe um der Menschen willen zu erhalten und den Menschen eindeutig in den Mittelpunkt allen Wirtschaftens zu stellen."[12]

Die Thematik des ArbeitnehmerInnenschutzes geht somit über jenen Bereich der reglementiert ist (z.B. durch Gesetze, Verordnungen) hinaus. „Er besteht also aus der Gesamtheit aller Maßnahmen, die dazu beitragen, Leben und Gesundheit der arbeitenden Menschen zu schützen, ihre Arbeitskraft zu erhalten und die Arbeit menschengerecht zu gestalten."[13]

Die Arbeitsinspektion ist die in Österreich wichtigste Behörde die umfassend mit der Wahrnehmung des ArbeitnehmerInnenschutzes befasst ist[14]. Sie ist Teil der öffentlichen Verwaltung und wurde bzw. wird als solche einem zunehmenden Erwartungsdruck durch die Öffentlichkeit ausgesetzt, denn Verwaltung wird mit Begriffen wie Inneffizienz und Bürokratie verbunden, diese wird mit erhöhten Kosten assoziiert.[15] Kosten stehen wiederum in direktem Konnex mit der Finanzierbarkeit der öffentlichen

---

[10] § 3 Arbeitsruhegesetz (ARG), BGBl. Nr. 144/1983 idgF.
[11] Anmerkung des Autors: Dr. Alois Schwarz, geb. am 14. Juni 1952, ist seit 17. Mai 2018 Bischof der Diözese St. Pölten und nimmt in der Österreichischen Bischofskonferenz die Aufgaben Umwelt und Nachhaltigkeit, Wirtschaft, Landwirtschaft, Kirche und Sport wahr, Diözese St. Pölten, https://www.dsp.at/bischof/lebenslauf (abgerufen am 13.03.2022).
[12] Schwarz, Alois, Ruhetag oder Tag des Herrn? Im Interview mit Stephan Baier, Die Tagespost, Katholische Wochenzeitung für Politik, Gesellschaft und Kultur, 4. März 2021, Würzburg, Jahrgang 74, Nr. 9, S. 2.
[13] Anmerkung des Autors: siehe Begriff ArbeitnehmerInnenschutz, Bundesarbeitskammer, https://www.gesundearbeit.at/cms/V02/V02_1/arbeitnehmerinnenschutz (abgerufen am 10.03.2021).
[14] Anmerkung des Autors: siehe Aufgaben der Arbeitsinspektion, Bundesministerium für Arbeit, Sektion Arbeitsrecht und Zentral-Arbeitsinspektorat, https://www.arbeitsinspektion.gv.at/Agenda/Die_Arbeitsinspektion/Aufgaben_der_Arbeitsinspektion.html (abgerufen am 04.03.2021).
[15] Vgl. Grimmer, Klaus, Öffentliche Verwaltung in Deutschland, 2004, S. 50.

2

Verwaltung[16] und drängten bzw. drängen die staatlichen Akteure in Richtung einer ständigen Modernisierung der öffentlichen Verwaltung. Dieser neue Ansatz betrachtet die Bürgerin bzw. den Bürger nicht mehr als Bittsteller der Verwaltung, sondern vielmehr als Kundin bzw. Kunden und ist dies „…, gerade in Zeiten wirtschaftlicher Veränderungen, ein Vorteil im Standortwettbewerb der Länder …"[17].

So wie Neumayer[18] bereits im Frühjahr 2020 befürchtete, dass die COVID-19-Pandemie[19] starke Auswirkungen auf die Wirtschaft nach sich ziehen wird[20], ging auch Mei-Pochtler[21] von einer eindeutigen Gefahr einer enormen Pleitewelle aus[22]. Umso wichtiger ist es daher nach mehr als einem Jahr Pandemie festzustellen, dass diese Situation der Verwaltung, so auch der Arbeitsinspektion, die Möglichkeit bietet kunden- und serviceorientiert gegenüber ihren Kundinnen bzw. Kunden aufzutreten. So setzte die Arbeitsinspektion bereits im Rahmen von Routinebesichtigungen zwischen Herbst 2020 und Frühjahr 2021 einen Beratungsschwerpunkt bei der Umsetzung von diversen Schutzmaßnahmen im Betrieb zur Prävention von COVID-19, es folgten Beratungsschwerpunkte auf Baustellen im Sommer 2020 und eine Beratungsoffensive im Mai 2020.[23]

---

[16] Vgl. Tojner, Michael, Finanzmarkt(de)stabilität und Staatsschuldenkrisen, in: Tojner, Michael (Hrsg.), Staatsschuldenkrisen und Staatsinsolvenzen, Kapitalmarkt und Volkswirtschaft, Melk, 2012, S. 18.

[17] Seewald, Peter, Webportal der Arbeitsinspektion, Nutzen, Handlungsveränderungen und Erwartungen der „Organe des Arbeitnehmerschutzes", Saarbrücken, 2010, S. 1.

[18] Anmerkung des Autors: Mag. Christoph Neumayer, geb. am 6. September 1966, ist seit April 2011 Generalsekretär der Industriellenvereinigung, Vereinigung der Österreichischen Industrie (Industriellenvereinigung), https://www.iv.at/de/b2459 (abgerufen am 04.03.2021).

[19] Anmerkung des Autors: Durch das Coronavirus SARS-CoV-2 wurde die Infektionskrankheit COVID-19 verursacht und wurde dieser Name am 11. Februar 2020 von der WHO (World Health Organisation) als offizieller Name verlautbart. Diese Krankheit entwickelte sich zur COVID-19-Pandemie. Bundesministerium für Soziales, Gesundheit, Pflege und Konsumentenschutz, https://www.sozialministerium.at/Themen/Gesundheit/Uebertragbare-Krankheiten/Infektionskrankheiten-A-Z/Neuartiges-Coronavirus.html (abgerufen am 04.03.2021).

[20] Vgl. Neumayer, Christoph, Vereinigung der Österreichischen Industrie (Industriellenvereinigung), https://www.iv.at/de/themen/wirtschaftspolitik/2020/industrie-unternehmen-in-coronavirus-krise-praxisnah-unterstutzen (abgerufen am 04.03.2021).

[21] Anmerkung des Autors: Dr. Antonella Mei-Pochtler, geb. am 17. Mai 1958, war von 2018 bis Juni 2019 und von Jänner 2020 bis 9. Februar 2022 Leiterin des THINK AUSTRIA, der Stabstelle für Strategie, Analyse und Planung im Bundeskanzleramt, Bundeskanzleramt Österreich, https://bka.ldap.gv.at/#/person/EnCcPQcAlF4kLM52KD0wEblu5Qrr85Ni9meOXgjuu1sCrt02x9ekLadY dMsa5yXOJG_VqOalb3dqX_I5NK619Q.. (abgerufen am 04.03.2021), Wikipedia. Die freie Enzyklopädie, https://de.wikipedia.org/wiki/Antonella_Mei-Pochtler (abgerufen am 04.03.2021).

[22] Vgl. Mei-Pochtler, Antonella, in: trend. Das Wirtschaftsmagazin, Nr. 17/2020, 24. April 2020, S. 27.

[23] Vgl. Bundesministerium für Arbeit, Sektion Arbeitsrecht und Zentral-Arbeitsinspektorat, https://www.arbeitsinspektion.gv.at/Gesundheit im Betrieb/Gesundheit im Betrieb 1/Beratungsoffensive COVID-19.html (abgerufen am 17.03.2022).

Bisher schon stellte die Arbeitsinspektion den Arbeitgeberinnen und Arbeitgebern ihr fachliches Wissen zur Verfügung. Umso wichtiger ist es nunmehr in dieser Phase beratend tätig zu sein um Gutes für den Wirtschaftsstandort Österreich, dies impliziert die Arbeitgeberinnen bzw. Arbeitgeber und die Arbeitnehmerinnen bzw. Arbeitnehmer, zu erreichen. Denn gerade in der Krise, wo viele Arbeitgeberinnen bzw. Arbeitgeber mit der wirtschaftlichen Neuausrichtung ihrer Betriebe befasst sind und wo viele Arbeitnehmerinnen bzw. Arbeitnehmer Angst um ihren Arbeitsplatz haben, besteht die Chance, dass die Arbeitsinspektion als deren verlässlicher Partner auftritt, gleich dem Sprichwort „bis dat, qui cito dat"[24].

Gerade jedoch unter dem Blickwinkel der oberwähnten Veränderungen ist es jedoch notwendig das Individuum, d.h. den Menschen in seiner Ganzheit, dies umfasst dessen eigene Vorstellungen und das Wissen von der eigenen Vergangenheit, sowie die eigenen Vorstellungen von der eigenen Zukunft, egal ob nun in der Rolle als einfache Bürgerin bzw. einfacher Bürger oder in der Funktion als Arbeitgeberin bzw. Arbeitgeber zu sehen.

Dies deshalb, da der Staat das Zusammenleben von Menschen durch Anordnungen regelt und die Verwaltung mit dem Vollzug dieser betraut wird. Der Vollzug der Anordnungen wird jedoch nur dann Anerkennung finden, wenn die Normadressaten (z.B. Arbeitgeberin bzw. Arbeitgeber) die Anordnungen auch verstehen. Der Begriff des Verstehens bedeutet jedoch nicht die bloße Kenntnisnahme einer Anordnung, sondern bedeutet das intellektuelle Erfassen des Zusammenhangs eines Sachverhalts.

Um die Verwirklichung einer Anordnung zu sichern, werden entsprechende Sanktionen festgelegt.

---

[24] Anmerkung des Autors: Dieses Sprichwort bedeutet übersetzt „Wer schnell gibt, gibt doppelt" und geht auf den lateinischen Schriftsteller Publilius Syrus, dieser lebte von ca. 85 bis 43 v. Chr., zurück. Wikipedia, Die freie Enzyklopädie, https://de.qwe.wiki/wiki/Publilius_Syrus (abgerufen am 04.03.2021).

Durch diese Sanktionen soll der Normadressat

- durch die Androhung dieser zur Befolgung der Anordnung präventiv bzw.
- durch die Setzung dieser im Falle der Verletzung einer Anordnung repressiv motiviert werden.

Grundsätzliches Ziel des Staates bzw. der Verwaltung sollte es sein, dass Anordnungen freiwillig und nicht aufgrund von Sanktionen befolgt werden.

Wird jedoch eine Anordnung nicht verstanden und kommt es in Folge zu einer Sanktion, dann fehlt oftmals bei den Normadressaten das Verständnis im Hinblick auf die Setzung dieser Sanktion und wird auch die Sinnhaftigkeit der entsprechenden Anordnung in Frage gestellt.

Dies trifft beispielhaft auch auf die Anordnungen und den Vollzug dieser im Bereich des ArbeitnehmerInnenschutzes zu. Da es in diesem Bereich jedoch nicht um den Vollzug an einem Objekt, sondern um den Vollzug zum Wohle von Menschen geht, ist ein Verstehen der gesetzlichen Anordnungen inklusive der Notwendigkeit auf Setzung von Sanktionen durch die Arbeitgeberin bzw. den Arbeitgeber unbedingt notwendig.

1.2 Forschungsgegenstand

Die Arbeitsinspektion ist ein Teil der öffentlichen Verwaltung und steht ihr Handeln nicht nur im Fokus der öffentlichen Beobachtung, sondern auch im Blickfeld der Arbeitgeberinnen bzw. Arbeitgebern, den wesentlichen stakeholdern in der Wahrnehmung des ArbeitnehmerInnenschutzes.

Aufgrund der im Kapitel 1.1 geschilderten Problemstellung, demnach bei der Nichtbefolgung von Anordnungen es zu Sanktionen kommt, d.h. konkretisierend werden ArbeitnehmerInnenschutzbestimmungen nicht eingehalten und es kommt zu Verwaltungsstrafverfahren, wird Erkenntnisinteresse dahingehend festgestellt, inwiefern bei den Arbeitgeberinnen bzw. Arbeitgebern die Verwaltungsstrafverfahren eine Änderung der Einstellung zu den ArbeitnehmerInnenschutzbestimmungen und zur Behörde Arbeitsinspektion bewirken. In diesem Zusammenhang wird auf die Änderung der Verordnung über die Aufsichtsbezirke und den Wirkungsbereich der Arbeitsinspektorate[25] (siehe Abbildung 1) hingewiesen, demnach es mit 1. Mai 2021 zu einer Organisationsänderung kam. Die beiden Arbeitsinspektorate NÖ Mostviertel und NÖ Waldviertel fusionierten zum Arbeitsinspektorat NÖ Wald- und Mostviertel. Da jedoch seitens des Autors sämtliche Planungen im Hinblick auf das Arbeitsinspektorat NÖ Mostviertel erfolgten, richtet sich das Erkenntnisinteresse betreffend der Behörde Arbeitsinspektion nur auf das Arbeitsinspektorat NÖ Mostviertel.

BUNDESGESETZBLATT
FÜR DIE REPUBLIK ÖSTERREICH

Jahrgang 2016	Ausgegeben am 19. Dezember 2016	Teil II

400. Verordnung:	Änderung der Verordnung über die Aufsichtsbezirke und den Wirkungsbereich der Arbeitsinspektorate

400. Verordnung des Bundesministers für Arbeit, Soziales und Konsumentenschutz, mit der die Verordnung des Bundesministers für Arbeit und Soziales über die Aufsichtsbezirke und den Wirkungsbereich der Arbeitsinspektorate geändert wird

Auf Grund des § 14 Abs. 4 des Arbeitsinspektionsgesetzes 1993 (ArbIG), BGBl. Nr. 27/1993 in der Fassung des Bundesgesetzes BGBl. I Nr. 72/2016, wird verordnet:

Die Verordnung des Bundesministers für Arbeit und Soziales über die Aufsichtsbezirke und den Wirkungsbereich der Arbeitsinspektorate, BGBl. Nr. 237/1993 in der Fassung der Verordnung BGBl. II Nr. 269/2015, wird wie folgt geändert:

1. Dem Verordnungstitel werden folgender Kurztitel und folgende Abkürzung in Klammer nachgestellt: „(Verordnung Arbeitsinspektorate – AiatV)".

Abbildung 1: 400. Verordnung: Änderung der Verordnung über die Aufsichtsbezirke und den Wirkungsbereich der Arbeitsinspektorate Quelle: Bundesministerium für Digitalisierung und Wirtschaftsstandort, https://www.ris.bka.gv.at/Dokumente/BgblAuth/BGBLA_2016_II_400/BGBLA_2016_II_400.pdfsig (abgerufen am 08.12.2021).

Weiters besteht Erkenntnisinteresse ob die Organe der Arbeitsinspektion[26] des Arbeitsinspektorates NÖ Mostviertel als Ansprechpersonen von den Arbeitgeberinnen bzw. Arbeitgebern für deren Interessen im ArbeitnehmerInnenschutz betrachtet werden bzw. inwiefern von den Arbeitgeberinnen bzw. Arbeitgebern, diese werden jeweils als Individuum entsprechend Kapitel 1.1 gesehen, ein etwaig ethisches

---

[25] 400. Verordnung des Bundesministers für Arbeit, Soziales und Konsumentenschutz, mit der die Verordnung des Bundesministers für Arbeit und Soziales über die Aufsichtsbezirke und den Wirkungsbereich der Arbeitsinspektorate geändert wird.
[26] Anmerkung des Autors: siehe Fußnote 2.

Handeln[27] von den Organen aus der Reihenfolge der Verfahren heraus, d.h. eine Nichtbefolgung einer Anordnung führt zu einer Sanktion, ableitbar ist.

Diesem Handeln kommt insofern Bedeutung zu, da auch die ehemalige für den Arbeitnehmerschutz zuständige Bundesministerin Aschbacher[28] anlässlich der 13. Sitzung des Nationalrates der XXVII. Gesetzgebungsperiode am 27. Februar 2020 erklärte „ …, dass wir im Bereich der Arbeitsinspektion vermehrt auf den Grundsatz Beraten vor strafen setzen, denn Ziel der Arbeitsinspektion muss es sein, zwar Fehlverhalten zu bestrafen, es aber im besten Fall gar nicht dazu kommen zu lassen, indem wir die Unternehmerinnen und Unternehmer dabei unterstützen, regelkonform zu arbeiten. In letzter Konsequenz geht es um den sicheren und effektiven Schutz unserer Arbeitnehmerinnen und Arbeitnehmer."[29]

Gerade das von der ehemaligen Bundesministerin angesprochene Ziel den Unternehmerinnen und Unternehmern eine wirkungsvolle Beratung angedeihen zu lassen, dass es eben erst gar nicht zu einem Fehlverhalten kommt, kann als zusätzliche öffentlich dargebrachte Unterstützung der politischen Ebene, des bereits im Gesetz festgelegten Beratungsauftrages der Arbeitsinspektion, verstanden werden.

Die Verpflichtung zum Einsatz für einen optimalen ArbeitnehmerInnenschutz durch die Organe der Arbeitsinspektion beruht jedoch nicht alleine nur auf dem gesetzlichen Auftrag, sondern nehmen die Organe ihre Verantwortung auch aus ihrer Verantwortung gegenüber sich selbst und schlussendlich auch gegenüber der Gesellschaft und dem Staat wahr.

Als Stakeholder, die Interesse an der gegenständlichen Studie haben, von dieser profitieren und auch Nutzen ziehen könnten, wird die Organisation der Arbeitsinspektion, aber auch jedes einzelne Organ der Arbeitsinspektion erkannt.

---

[27] Anmerkung des Autors: Im Hinblick auf das ethische Handeln wird auf die internationale Leitlinie für professionelles und ethisches Verhalten in der Arbeitsinspektion hingewiesen, Verein Deutscher Gewerbeaufsichtsbeamter e.V. (VDGAB)., Internationaler Kodex für professionelles und ethisches Verhalten in der Arbeitsinspektion, https://vdgab.de/wp-content/uploads/2020/12/IALI_GLOBAL_CODE_DE.pdf (abgerufen am 04.03.2021).
[28] Anmerkung des Autors: Mag.ª (FH) Christine Aschbacher, geb. am 10. Juli 1983, war von 29. Jänner 2020 bis zum 11. Jänner 2021 Bundesministerin für Arbeit, Familie und Jugend, Republik Österreich, Parlamentsdirektion, https://www.parlament.gv.at/WWER/PAD_06484/index.shtml (abgerufen am 04.03.2021).
[29] Aschbacher, Christine, Republik Österreich, Parlamentsdirektion, https://www.parlament.gv.at/PAKT/VHG/XXVII/NRSITZ/NRSITZ_00012/A_-_13_49_00_00212580.html (abgerufen am 04.03.2021).

1.3 Zielsetzung

Das Ziel der Studie ist die Ermittlung eines etwaigen Änderungsverhaltens der Arbeitgeberinnen bzw. Arbeitgebern im Bereich der Einhaltung von Arbeitnehmerschutzvorschriften, nach einem durchgeführten Verwaltungsstrafverfahren aufgrund der Nichtbefolgung einer Anordnung.

Ergänzt wird das Ziel dadurch, dass auch das situationsbedingte ethische Handeln von Organen der Arbeitsinspektion des Arbeitsinspektorates NÖ Mostviertel (zuständig für die Magistrate St. Pölten und Waidhofen an der Ybbs, die Bezirke Amstetten, Lilienfeld, Melk, St. Pölten und Scheibbs; siehe Abbildung 2) im Umgang mit den Arbeitgeberinnen bzw. Arbeitgebern erforscht werden soll.

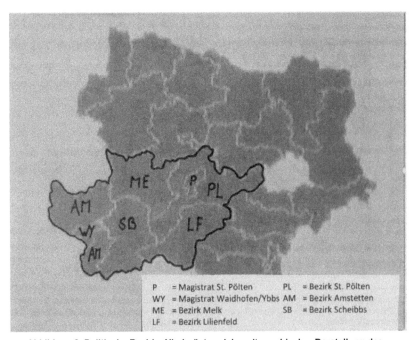

P	= Magistrat St. Pölten	PL	= Bezirk St. Pölten
WY	= Magistrat Waidhofen/Ybbs	AM	= Bezirk Amstetten
ME	= Bezirk Melk	SB	= Bezirk Scheibbs
LF	= Bezirk Lilienfeld		

Abbildung 2: Politische Bezirke Niederösterreichs mit graphischer Darstellung des Aufsichtsbezirkes des Arbeitsinspektorates NÖ Mostviertel
Quelle: eigene Darstellung.

1.4 Methodik

Das Ziel der Studie ist einerseits die Erfassung eines etwaigen Änderungsverhaltens bei der Einhaltung von Arbeitnehmerschutzvorschriften von Arbeitgeberinnen bzw. Arbeitgebern nach einem durchgeführten Verwaltungsstrafverfahren, und andererseits die Erforschung des bei diesen Verfahren situationsbedingten ethischen Handelns der Organe der Arbeitsinspektion im Umgang mit den Arbeitgeberinnen bzw. Arbeitgebern. Der Studie liegen Fragestellungen und Hypothesen, diese gilt es zu verifizieren bzw. zu falsifizieren, zugrunde (Kapitel 1.4.1) und wird im Kapitel 1.4.2 der Weg zur Beantwortung der Fragen und Hypothesen dargelegt.

1.4.1 Fragen und Hypothesen

Die Hauptfrage lautet:

„Kam es durch die rechtskräftige Bestrafung der Arbeitgeberinnen bzw. der Arbeitgeber zu einem Änderungsverhalten dieser bei der Einhaltung von ArbeitnehmerInnenschutzvorschriften?"

Die Detailfrage lautet:

„Wird das Handeln bzw. der Umgang durch die Organe der Arbeitsinspektion des Arbeitsinspektorates NÖ Mostviertel von den Arbeitgeberinnen bzw. den Arbeitgebern als ethisches Handeln im Sinne von Immanuel Kant[30] wahrgenommen?"

Zur näheren Erläuterung der Detailfrage im Hinblick auf das ethische Handeln im Sinne von Kant wird auf dessen Werk „Grundlegung zur Metaphysik der Sitten" aus dem Jahre 1785 hingewiesen. In diesem Werk führt er aus, dass entgegen dem Sprichwort „Was du nicht willst, das man dir tu', das füg auch keinem anderen zu!", hierbei schadet man anderen nur deshalb nicht, da man selbst Schaden fürchtet, echtes moralisches Handeln nur unter Anwendung des Prinzips „Handle nur nach derjenigen Maxime, durch die du zugleich wollen kannst, dass sie ein allgemeines

---

[30] Anmerkung des Autors: Immanuel Kant, geb. am 22. April 1724, gest. am 12. Februar 1804, deutscher Philosoph, gilt als einer der bedeutendsten Vertreter der Aufklärung. o.V., Kant, in: Gaede, Peter-Matthias (Hrsg.), GEO Themenlexikon, Band 14, Ideen, Denker, Visionen, Mannheim, 2007, S. 164ff.

Gesetz werde" erreicht, d.h. man ist dem Richtigen und Guten auch unter der Möglichkeit des Eintritts einer persönlichen Schädigung verpflichtet.[31]

In Ergänzung zu den Fragen gilt es nachstehende Hypothesen zu verifizieren bzw. zu falsifizieren:

- Es besteht Verbesserungsbedarf bei der Erklärung der weiteren Vorgehensweise durch die Organe der Arbeitsinspektion des Arbeitsinspektorates NÖ Mostviertel bei der Nichtbehebung festgestellter Übertretungen.
- Die Sinnhaftigkeit von ArbeitnehmerInnenvorschriften wird nicht in Frage gestellt.
- Die Hinzuziehung von Präventivdiensten[32] bei Schreiben des Arbeitsinspektorates NÖ Mostviertel wird als nicht notwendig erachtet.

1.4.2 Der Weg zur Beantwortung der Fragen bzw. der Hypothesen

„Es wurden qualitative Interviews geführt. Den Interviews lag jeweils ein Interviewleitfaden mit offenen Fragen zugrunde, diese basierten auf der persönlichen Biographie und dem sozialen Kontext des Autors[33], um den Interviewten die Möglichkeit einzuräumen, offen und frei zu antworten.[34]

Die Interviews wurden digital aufgezeichnet und transkribiert, wobei unter Hinweis auf Wroblewski[35] aus Gründen der Ressourcen nur signifikante Stellen wörtlich transkribiert und die verbliebenen Gesprächsphasen anschließend paraphrasiert und einer Zusammenfassung zugeführt wurden.[36] Zum Abschluss erfolgte eine Beurteilung der inhaltlich verbundenen Passagen.[37] Diese qualitative Inhaltsanalyse war

---

[31] Vgl. o.V., Ethik „Grundlegung zur Metaphysik der Sitten", in: Gaede, Peter-Matthias (Hrsg.), GEO Themenlexikon, Band 14, Philosophie, Ideen, Denker, Visionen, Mannheim, 2007, S. 92.

[32] Anmerkung des Autors: Zu den Präventivdiensten zählen z.B. die Sicherheitsfachkraft, der Arbeitsmediziner bzw. die Arbeitsmedizinerin deren Aufgabe es unter anderem ist die Arbeitgeber bzw. den Arbeitgeber zu beraten und zu unterstützen (vgl. §§ 76 und 81 ASchG, BGBl. Nr. 450/1994 idgF.).

[33] Vgl. Flick, Uwe, Qualitative Sozialforschung, Eine Einführung, 5. Auflage, 2012, S. 133.

[34] Vgl. Hug, Theo et al., Empirisch Forschen, Konstanz, 2010, S. 100f.

[35] Vgl. Wroblewski, Andrea et al., Zwischen Wissenschaftlichkeitsstandards und Effizienzansprüchen, ExpertInneninterviews in der Praxis der Maßnahmenevaluation, in: Bogner, Alexander et al. (Hrsg.), Experteninterviews, Theorien, Methoden, Anwendungsfelder, 3., grundlegend überarbeitete Auflage, Wiesbaden, 2009, S. 273.

[36] Vgl. Hug, Theo et al., Empirisch Forschen, Konstanz, 2010, S. 131.

[37] Vgl. Meuser, Michael et al., Experteninterview und der Wandel der Wissensproduktion, in: Bogner, Alexander et al. (Hrsg.), Experteninterviews, Theorien, Methoden, Anwendungsfelder, 3., grundlegend überarbeitete Auflage, Wiesbaden, 2009, S. 56.

geprägt durch die Interpretation und Analysierung des Datenmaterials und diente nicht der Gewinnung von Daten.[38][39]

In Bezug auf die Fragestellung der Studie, diese betrifft die rechtskräftige Bestrafung in Bezug auf die ArbeitnehmerInnenschutzvorschriften, war es die Intention des Autors mit allen Arbeitgeberinnen bzw. Arbeitgebern Interviews zu führen, gegen die vom Arbeitsinspektorat NÖ Mostviertel betreffend Übertretungen in den Bereichen

- „Verwendungsschutz",
- „Technik und Arbeitshygiene" und
- „Arbeitsinspektionsgesetz"

im Jahre 2017 Anzeige erstattet wurde.

In den Bereichen „Verwendungsschutz" und „Technik und Arbeitshygiene" erfolgte eine Aufteilung hinsichtlich einer „einfachen" und einer „schwerwiegenden"[40] Übertretung. Bei einer „schwerwiegenden" Übertretung erfolgte eine sofortige Anzeige und bei einer „einfachen" Übertretung erfolgte eine Anzeige erst nach einer schriftlichen Aufforderung der jedoch nicht nachgekommen wurde[41].

Aufgrund der Anzahl an erfolgten Anzeigen ergab sich somit, wie in Tabelle 1 dargestellt, folgende theoretische Zahl an Interviews:

Übertretung im Bereich:	Theoretische Interviewzahl
Verwendungsschutz „einfach"	8
Verwendungsschutz „schwerwiegend"	21
Technik- und Arbeitshygiene „einfach"	20
Technik- und Arbeitshygiene „schwerwiegend"	15
Arbeitsinspektionsgesetz	12

Tabelle 1: Anzahl der Theoretischen Interviewzahl
Quelle: eigene Darstellung.

---

[38] Vgl. Kromrey, Helmut, Empirische Sozialforschung, Modelle und Methoden der standardisierten Datenerhebung und Datenauswertung, 12. überarbeitete und ergänzte Auflage, Stuttgart, 2009, S. 392.
[39] Seewald, Peter, Ethische Handlungen im Bereich der Arbeitsinspektion in Österreich, Eine Betrachtung unter der Perspektive des Berufsethos und der Verwaltungsethik, München, 2014, S. 19f.
[40] § 9 Abs 3 Arbeitsinspektionsgesetz 1993 (ArbIG), BGBl. Nr. 27/1993 idgF.
[41] § 9 Abs 2 ArbIG, BGBl. Nr. 27/1993 idgF.

Diverse Umstände wie z.B. die Beendigung der unternehmerischen Tätigkeit ergab schlussendlich, wie in Tabelle 2 dargestellt, die folgende praktische Zahl an Interviews:

Übertretung im Bereich:	Praktische Interviewzahl
Verwendungsschutz „einfach"	4
Verwendungsschutz „schwerwiegend"	11
Technik- und Arbeitshygiene „einfach"	2
Technik- und Arbeitshygiene „schwerwiegend"	11
Arbeitsinspektionsgesetz	3

Tabelle 2: Anzahl der Praktischen Interviewzahl
Quelle: eigene Darstellung.

Nach dem Wissensstand des Autors wurden bis dato hinsichtlich der Thematik des Änderungsverhaltens bei Arbeitgeberinnen bzw. Arbeitgebern durch das Vorliegen rechtskräftiger Bestrafungen von Arbeitnehmerschutzvorschriften, keine Forschungsstudien durchgeführt. Ebenso erfolgten keine Studien im Hinblick auf das Handeln bzw. den Umgang durch Organe der Arbeitsinspektion im Sinne eines ethischen Handelns nach Kant.

Als Befragungsverfahren wurde die qualitative Befragung unter Zuhilfenahme von Interviewleitfäden[42] gewählt. Da aufgrund der Befragung im Hinblick auf die Bereiche „Verwendungsschutz" und „Technik und Arbeitshygiene", hier erfolgte eine Aufteilung hinsichtlich einer „einfachen" und einer „schwerwiegenden" Übertretung, sowie des Bereiches „Arbeitsinspektionsgesetz" konkretisierend auf die jeweilige Gruppe eingegangen werden sollte, wurden insgesamt 5 Leitfäden erstellt.

In einer Zeit der allgemeinen Sensibilisierung betreffend des Datenschutzes, wurde den Interviewten vorab unaufgefordert zugesagt, dass, da es sich bei den Interviews um persönliche Aussagen handelt, eine Kodierung erfolgt.

Die Tabelle 3 (Arbeitgeberin/Arbeitgeber – „einfache" Übertretungen in den Bereichen „Verwendungsschutz" und „Technik und Arbeitshygiene"), die Tabelle 4 (Arbeitgeberin/Arbeitgeber – „schwerwiegende" Übertretungen in den Bereichen „Verwendungsschutz" und „Technik und Arbeitshygiene") und die Tabelle 5

---

[42] Anmerkung des Autors: Die Fragebögen befinden sich im Anhang 2.

(Arbeitgeberin/Arbeitgeber – Übertretungen im Bereich „Arbeitsinspektionsgesetz")
verweisen auf die Kodierung. Es wird darauf hingewiesen, dass aufgrund der
Kodierung eine Zuordnung zu den Interviewten nicht möglich ist, da die Kodierungs-
unterlagen nur beim Autor aufliegen.

Arbeitgeberin/Arbeitgeber	Kodierung
Verwendungsschutz „einfach"	AGVSeinf 1
	AGVSeinf 2
	AGVSeinf 3
	AGVSeinf 4
Technik und Arbeitshygiene „einfach"	AGTAeinf 1
	AGTAeinf 2

Tabelle 3: Arbeitgeberin/Arbeitgeber – „einfache" Übertretungen in den Bereichen
„Verwendungsschutz" und „Technik und Arbeitshygiene" und deren Kodierung
Quelle: eigene Darstellung.

Arbeitgeberin/Arbeitgeber	Kodierung
Verwendungsschutz „schwerwiegend"	AGVSschwer 1
	AGVSschwer 2
	AGVSschwer 3
	AGVSschwer 4
	AGVSschwer 5
	AGVSschwer 6
	AGVSschwer 7
	AGVSschwer 8
	AGVSschwer 9
	AGVSschwer 10
	AGVSschwer 11
Technik und Arbeitshygiene „schwerwiegend"	AGTAschwer 1
	AGTAschwer 2
	AGTAschwer 3
	AGTAschwer 4
	AGTAschwer 5
	AGTAschwer 6
	AGTAschwer 7
	AGTAschwer 8
	AGTAschwer 9
	AGTAschwer 10
	AGTAschwer 11

Tabelle 4: Arbeitgeberin/Arbeitgeber – „schwerwiegende" Übertretungen in den Bereichen
„Verwendungsschutz" und „Technik und Arbeitshygiene" und deren Kodierung
Quelle: eigene Darstellung.

Arbeitgeberin/Arbeitgeber	Kodierung
Arbeitsinspektionsgesetz	AGArbIG 1
	AGArbIG 2
	AGArbIG 3

**Tabelle 5: Arbeitgeberin/Arbeitgeber – Übertretungen im Bereich
„Arbeitsinspektionsgesetz" und deren Kodierung
Quelle: eigene Darstellung.**

Vor einer Bearbeitung der Interviews wurden diese zum Zwecke der Dokumentation elektronisch als Datei archiviert. Die Interviews wurden im Zeitraum vom 15. Juni 2021 bis 27. September 2021 geführt.

2. Theoretische Grundlagen

Im Kapitel Theoretische Grundlagen werden zum besseren Verständnis der Studie die Themen „Die Verwaltung", „Die Arbeitsinspektion", „Die Ethik" und „Alles rund um die Verwaltungsstrafe" näher ausgeführt.

2.1 Die Verwaltung

In diesem Kapitel wird, soweit für die gegenständliche Studie relevant, kurz auf die Geschichte der Verwaltung und des ArbeitnehmerInnenschutzes aus österreichischer Sicht, die öffentliche Verwaltung, den „Öffentlichen Dienst" und die „moderne" öffentliche Verwaltung eingegangen.

2.1.1 Geschichte der Verwaltung und des ArbeitnehmerInnenschutzes aus österreichischer Sicht

„Die Grundlage für die heutigen Behörden gehen auf Entwürfe von Maximilian I.[43] zurück.[44] Einen wichtigen weiteren Schritt zur Neuorientierung setzte Maria Theresia[45] in ihrer Regierungszeit von 1740 bis 1780. ,Bald nach ihrem Regierungsantritt erkannte Maria Theresia die Notwendigkeit von Verwaltungsreformen. Schon 1742 wurden die dynastischen und die außenpolitischen Angelegenheiten der österreichischen Hofkanzlei entzogen und der neugebildeten ´Hof- und Staatskanzlei´ zugewiesen. *Graf Kaunitz*[46] übernahm die Leitung dieser neuen Hofstelle. ´[47] ,Wirklich grundlegende Reformen konnten erst durchgeführt werden, als der Friede zu Aachen Österreich eine mehrjährige Atempause sicherte. Sie tragen den Charakter einer **Staatsreform** und sind in der Hauptsache das Verdienst des *Grafen Haugwitz*[48], ...´.[49]

---

[43] Anmerkung des Autors: Maximilian I. wurde 1459 geboren und starb 1519. o.V., Maximilian I., in: Gaede, Peter-Matthias (Hrsg.), GEO Themenlexikon, Band 18, Epochen, Menschen, Zeitenwenden, Mannheim, 2007, S. 726.
[44] Vgl. Stolz, Otto, Grundriss der österreichischen Verfassungs- und Verwaltungsgeschichte. Ein Lehr- und Handbuch, Innsbruck – Wien, 1951, S. 155.
[45] Anmerkung des Autors: Maria Theresia geb. am 13. Mai 1717, gest. am 29. November 1780. o.V., Maria Theresia, in: Gaede, Peter-Matthias (Hrsg.), GEO Themenlexikon, Band 18, Epochen, Menschen, Zeitenwenden, Mannheim, 2007, S. 712.
[46] Anmerkung des Autors: Wenzel Anton Graf Kaunitz geb. am 2. Februar 1711, war ab 1753 Staatskanzler, gest. am 27. Juni 1794. o.V., Kaunitz, in: Gaede, Peter-Matthias (Hrsg.), GEO Themenlexikon, Band 18, Epochen, Menschen, Zeitenwenden, Mannheim, 2007, S. 600.
[47] Schüssel, Therese et al., Das Werden Österreichs, Ein Arbeitsbuch für Österreichische Geschichte, 3. Auflage, Wien, 1975, S. 168.
[48] Anmerkung des Autors: Friedrich Wilhelm Graf von Haugwitz geb. am 11. Dezember 1702, gest. am 30. August 1765. Wiener Stadt- und Landesarchiv, https://www.geschichtewiki.wien.gv.at/Friedrich_Wilhelm_Haugwitz (abgerufen am 04.03.2021).

Bei dieser Schaffung einer einheitlichen Staatsgewalt, man spricht auch von der ‚theresianischen Staatsreform‘[50], kam es zu einer verstärkten Aufnahme von Staatsbeamten[51].“[52]

„Die lange Geschichte des ArbeitnehmerInnenschutzes wird durch einen Vers im Alten Testament offenbar. Im 5. Buch Moses wird im Kapitel 22. Vers 8 festgestellt: ‚Wenn du ein neues Haus baust, so sollst du ein Geländer um dein Dach machen, damit du nicht eine Blutschuld auf dein Haus bringest, wenn irgend jemand von demselben herabfiele.‘[53]“ [54]

Trotzdem „… wurde erst im Jahre 1772, über Veranlassung von Maria Theresia ein eigener Beamter zur Aufsicht über Fabriken in Niederösterreich eingesetzt. Eine Verordnung über die Beschäftigung von Kindern erfolgte im Jahre 1786. Dieses, … Handschreiben von Kaiser Josef II[55] …‘ ist , … wohl als eine ‘sozialpolitische Tat von welthistorischer Bedeutung‘ anzusehen.‘[56]

Joseph II. kreierte den Beamten als unparteiisch und nur dem Staatszwecke verpflichtet.[57] Sein Ziel war ein schlanker, effektiver Staat, mit Beamten die nur das Gemeinwohl des Staates im Auge haben.[58] Die Verwaltung hatte neutral, über allen Klassen stehend zu sein[59] und , … dem Kaiser als Waffe gegen den Feudaladel … ‘[60]

[49] Schüssel, Therese et al., Das Werden Österreichs, Ein Arbeitsbuch für Österreichische Geschichte, 3. Auflage, Wien, 1975, S. 168.
[50] Vgl. o.V., Maria Theresia, in: Gaede, Peter-Matthias (Hrsg.), GEO Themenlexikon, Band 18, Geschichte, Epochen, Menschen, Zeitenwenden, Mannheim, 2007, S. 713.
[51] Vgl. Schimetschek, Bruno, Der österreichische Beamte, Geschichte und Tradition, Wien, 1984, S. 86.
[52] Seewald, Peter, Ethik in der Arbeitsinspektion – ein Widerspruch?, Eine Studie im Bereich der Arbeitsinspektion in Österreich, Hamburg, 2014, S. 24f.
[53] o.V., Die Heilige Schrift, 1. Auflage der Antiqua-Hausbibel, Stuttgart, 1982, S. 158.
[54] Seewald, Peter, ArbeitnehmerInnenschutz in Sakristeien der römisch-katholischen Kirche in Österreich, Relevanz des ArbeitnehmerInnenschutzgesetzes und Zuständigkeit der Arbeitsinspektion, Hamburg, 2015, S. 6.
[55] Anmerkung des Autors: Josef II geb. am 13. März 1741, gest. am 20. Februar 1790. o.V., Joseph II., in: Gaede, Peter-Matthias (Hrsg.), GEO Themenlexikon, Band 18, Epochen, Menschen, Zeitenwenden, Mannheim, 2007, S. 572.
[56] Mazohl, Astrid et al., 111 Jahre Arbeitsinspektorat Wiener Neustadt, Arbeitssicherheit im Wandel der Zeit, Wiener Neustadt, 1997, S. 1.
[57] Vgl. Straub, Eberhard, Die Internationale, in: Spiegel Geschichte, Nr. 6/2009, S. 140ff.
[58] Vgl. Friedmann, Jan, Der Volkserzieher, in: Spiegel Geschichte, Nr. 6/2009, S. 98ff.
[59] Vgl. Benedikt, Heinrich, Monarchie der Gegensätze, Wien, 1947, S. 190.
[60] Oberndorfer, Peter, Die Verwaltung im politisch-gesellschaftlichem Umfeld, in: Holzinger, Gerhart et al., Österreichische Verwaltungslehre, Wien, 2006, S. 37.

zu dienen. Beispielhaft wurden lebenslange Anstellung und das Verbot der Geschenk-annahme als wichtige Säulen des Beamtenstandes konzipiert.[61]

Im Jahre 1848 erfolgte eine Änderung dahingehend, als dass die Zentralbehörden durch k.k. Ministerien ersetzt wurden. Die Verantwortlichkeit der Ministerien wurde von Kaiser Franz Joseph I.[62] 1851 festgelegt. Diese sogenannte Minister-verantwortlichkeit, die Verantwortung betreffend politischen Handelns, lag somit beim Minister.[63]

Die Verantwortung im Hinblick auf den Arbeitnehmerschutz wurde mit der Gewerbe-ordnung von 1859 zur Verpflichtung der Arbeitgeber."[64]

2.1.2 Die öffentliche Verwaltung und der „Öffentliche Dienst"

„,Im Rahmen des internationalen Vergleichs gilt die Qualität der öffentlichen Verwaltung inzwischen als ein wichtiger ‚Standortfaktor' - z.B. bei der Vergabe von Krediten durch die Weltbank oder bei der Gestaltung internationaler Verträge.'[65] Nicht unwesentlich sind in diesem Zusammenhang auch die Effizienz und Effektivität der Verwaltung.[66] Unternehmen suchen Rechtssicherheit, politische und soziale Sta-bilität und somit einen funktionierenden staatlichen Rahmen, der ihrem unternehme-rischen Handeln zuträglich ist.[67] Daher ist die Qualität der Verwaltung immer auch eine Qualität der öffentlichen Bediensteten.[68] Es darf somit auf Weber[69] verwiesen werden, der bereits zu Beginn des vorigen Jahrhunderts feststellte: ‚Herrschaft ist im

---

[61] Vgl. Lehner, Oskar, Österreichische Verfassungs- und Verwaltungsgeschichte, 4. Auflage, Linz, 2007, S. 149.
[62] Anmerkung des Autors: Franz Joseph I. geb. am 18. August 1830, gest. am 21. November 1916. o.V., Franz Joseph I., in: Gaede, Peter-Matthias (Hrsg.), GEO Themenlexikon, Band 17, Epochen, Menschen, Zeitenwenden, Mannheim, 2007, S. 256f.
[63] Vgl. Lehner, Oskar, Österreichische Verfassungs- und Verwaltungsgeschichte, 4. Auflage, Linz, 2007, S. 195.
[64] Seewald, Peter, Ethik in der Arbeitsinspektion – ein Widerspruch?, Eine Studie im Bereich der Arbeitsinspektion in Österreich, Hamburg, 2014, S. 25f.
[65] Grunow, Dieter, Die öffentliche Verwaltung in der modernen Gesellschaft, Münster, 2003, S. 17.
[66] Vgl. Obermair, Anna, New Public Sector Management und die Verwaltungsreform in Österreich, WIFO, Wien, Monatsberichte 3/1999, S. 213.
[67] Vgl. Lampert Emanuel, Das größte und vielseitigste Unternehmen Österreichs, in: GÖD – Der öffentliche Dienst aktuell, Wien, Ausgabe 7/November 2013, S. 9.
[68] Vgl. Welan, Manfried, Republik der Mandarine? Ein Beitrag zur Bürokratie- und Beamtenrechtsdiskussion, Diskussionspapier Nr. 57-R-96, Institut für Wirtschaft, Politik und Recht, Universität für Bodenkultur, Wien, 1996, S. 3.
[69] Anmerkung des Autors: Dr. Max Weber, eigentlich Maximilian Carl Emil Weber, geb. am 21. April 1864, gest. am 14. Juni 1920 war ein deutscher Soziologe, Jurist und Nationalökonom. o.V., Weber, in: Gaede, Peter-Matthias (Hrsg.), GEO Themenlexikon, Band 14, Ideen, Denker, Visionen, Mannheim, 2007, S. 363f

Alltag primär Verwaltung'.[70] Dieser Qualität der öffentlichen Bediensteten stimmt auch Androsch[71] zu, wenn er ausführt: ‚Fraglos ist die Leistung vieler Beamter in Österreich nach wie vor hervorragend: Fachlich exzellent, loyal und dennoch unparteiisch, oft auch unbequem, sind sie im Idealfall tatsächlich Diener ihrer Kunden, der Staatsbürger.'[72]

Die Österreichische Bundesverfassung legt fest, dass die Führung der Verwaltung durch Berufsbeamte und auf Zeit Gewählte erfolgt.[73] Somit oblag es der B-VG-Novelle BGBl 1974/444 eine Vereinheitlichung des Begriffes ‚Öffentlich Bedienstete' in das Verfassungsrecht einzuführen, demnach öffentlich Bedienstete im Sinne Beamte und Vertragsbedienstete sind , ... , die in einem Dienstverhältnis zum Bund, den Ländern, Gemeindeverbänden und Gemeinden stehen.'[74]

Die im Öffentlichen Dienst Beschäftigten unterliegen einer rigorosen Weisungs- und Gesetzesgebundenheit. So verweist Welan[75] darauf, dass ‚Unser Lehrer Walter Antoniolli[76] lehrte uns, dass Gesetzestreue die höchste Tugend des Verwaltungsbeamten sei.'[77] Diesbezüglich wird auf das Leitbild der Arbeitsinspektion[78] verwiesen. Auch wenn die öffentlich Bediensteten weisungs- und gesetzesgebunden sind, so muss doch darauf verwiesen werden, dass oftmals vom bürokratischen Verhalten der

---

[70] Weber, Max, Wirtschaft und Gesellschaft, Tübingen, 1922, S. 126.

[71] Anmerkung des Autors: Dkfm. Dr. Hannes Androsch, geb. am 18. April 1938, Bundesminister für Finanzen von 1970 bis 1981, Generaldirektor der Creditanstalt von 1981 bis 1988, seit 1989 Unternehmer und Industrieller. Republik Österreich, Parlamentsdirektion, https://www.parlament.gv.at/WWER/PAD_00018/index.shtml (abgerufen am 04.03.2021).

[72] Androsch, Hannes, Das Ende der Bequemlichkeit, 7 Thesen zur Zukunft Österreichs, 1. Auflage, Wien, 2013. S. 47.

[73] Art. 20 des Bundes-Verfassungsgesetzes (B-VG), BGBl. Nr. 1/1930 zuletzt geändert durch BGBl. I Nr. 50/2010.

[74] Welan, Manfried, Republik der Mandarine? Ein Beitrag zur Bürokratie- und Beamtenrechtsdiskussion, Diskussionspapier Nr. 57-R-96, Institut für Wirtschaft, Politik und Recht, Universität für Bodenkultur, Wien, 1996, S. 6.

[75] Anmerkung des Autors: Dr. Manfried Welan, geb. am 13. Juni 1937, Universitätsprofessor am Institut für Wirtschaft, Politik und Recht der Universität für Bodenkultur. Wiener Stadt- und Landesarchiv, https://www.geschichtewiki.wien.gv.at/Manfried_Welan (abgerufen am 04.03.2021).

[76] Anmerkung des Autors: o. Univ.-Prof. Dr. Walter Antoniolli, geb. am 30. Dezember 1907, gestorben am 23. Mai 2006, Verfassungs- und Verwaltungsrechtler, war von Februar 1958 bis 1975 Präsident des Verfassungsgerichtshofs. Universität Wien, https://geschichte.univie.ac.at/de/personen/walter-antoniolli-o-univ-prof-dr (abgerufen am 31. März 2022).

[77] Welan, Manfried, Republik der Mandarine? Ein Beitrag zur Bürokratie- und Beamtenrechtsdiskussion, Diskussionspapier Nr. 57-R-96, Institut für Wirtschaft, Politik und Recht, Universität für Bodenkultur, Wien, 1996, S. 7.

[78] Vgl. Bundesministerium für Arbeit, Sektion Arbeitsrecht und Zentral-Arbeitsinspektorat, https://www.arbeitsinspektion.gv.at/Agenda/Die_Arbeitsinspektion/Leitbild.html (abgerufen am 04.03.2021).

Bediensteten gesprochen wird. Das Wort ,Bürokratie' war zu Beginn der Verwaltungsentwicklung jedoch ein Wort, das für einen hohen Qualitätsstandard der öffentlichen Verwaltung stand. ‚Dieser Begriff ist jedoch negativ besetzt, da, wenn in der Bevölkerung von Bürokratie gesprochen wird, dies stets im negativen Zusammenhang geschieht, und als Platzhalter für Langsamkeit und das Gegenteil von Effektivität dient.‘[79]

Dies bedeutet, dass den Bediensteten in der öffentlichen Verwaltung bürokratische Attribute zugeschrieben werden wie , ... ein bisschen kleinkariert, pedantisch und langweilig.‘[80] Organisationen und Organisationsformen, die ihren Auftritt nicht am Markt orientieren, werden dann mit der Bezeichnung Bürokratie versehen[81], und es werden nichtgenehme politische Entscheidungen auf europäischer Ebene, den bürokratischen Schmarotzern in Brüssel zugeschrieben.[82''83]

2.1.3 Die „moderne" öffentliche Verwaltung

Änderung der Gesellschaft und der Wirtschaft

„Da sich die Gesellschaft und die Wirtschaft änderten, änderte sich auch die Einstellung der Bürgerinnen und Bürger zur öffentlichen Verwaltung. Die Bürgerinnen und Bürger sahen sich ab den 1980er Jahren immer mehr als Kunde und nicht als Untertan. Der Rückgang an Steuereinnahmen, durch wirtschaftliche Stagnation, trug wesentlich zur Neuausrichtung der öffentlichen Verwaltung bei.[84]

Den anfänglichen Rückstand der Verwaltung[85] nahm der amerikanische Präsident Bill Clinton[86] bereits im Jahre 1992 wahr und betrieb einen vehementen Informationsstrukturaufbau.[87]

---

[79] Vgl. Gutjahr-Löser, Peter, Staatsinfarkt: wie die Politik die öffentliche Verwaltung ruiniert, Hamburg, 1998, zitiert nach Poulios, Kimon, Führung in der öffentlichen Verwaltung aus Sicht der Führungskräfte, Saarbrücken, 2009, S. 25.
[80] Coudenhove-Kalergie, Barbara, STANDARD Verlagsgesellschaft m.b.H., http://derstandard.at/3222097/Die-Staatsdiener (abgerufen am 04.03.2021).
[81] Vgl. Schedler, Kuno et al., New Public Management, 3. Auflage, Bern, 2006, S. 17.
[82] Vgl. Portisch, Hugo, Was jetzt, 1. Auflage, Salzburg, 2011, S. 7.
[83] Seewald, Peter, Ethische Handlungen im Bereich der Arbeitsinspektion in Österreich, Eine Betrachtung unter der Perspektive des Berufsethos und der Verwaltungsethik, München, 2014, S. 31ff.
[84] Vgl. Dearing, Elizabeth, Verwaltungsreform in der Bundesverwaltung, in: Neisser, Heinrich et al., Die innovative Verwaltung. Perspektiven des New Public Management in Österreich. Schriftenreihe des Zentrums für Angewandte Politikforschung, Wien, 1998, S. 437ff.
[85] Vgl. Grimmer, Klaus, Verwaltungsreform durch Nutzung der Informations- und Kommunikationstechnik, Theoretisch-praktische Grundlagen, Arbeitspapiere der Forschungsgruppe Verwaltungsautomation Nr. 51, Kassel, 1990, S. 6ff zitiert nach Albayrak, Dilek Beyhan, Portale in der

New Public Management

Die Bürgerinnen und Bürger wollten in die Willensbildung einbezogen werden, forderten Transparenz bei Entscheidungen und wollten vor allem die Bürgernähe in der Organisation der Verwaltung erkennen.[88] Diese Öffnung der Verwaltung sollte als Kundenorientierung wahrnehmbar sein.[89]

Es kam zu einer Änderung von der bisherigen Input- zur Outputorientierung und dies wurde unter dem Begriff ‚New Public Management' bekannt.[90] ‚Man ist bestrebt, aufgrund der Kenntnis der gewünschten Leistung, durch retrograde Betrachtung des Ablaufes zur idealen Organisationsstruktur zu gelangen. All dies steht im Gegensatz zum bisherigen Verwaltungssystem, welches inputgesteuert war, d.h. man wusste die Inputs (z.B. Personal, finanzielle Ressourcen) und versuchte eine Leistung zu erreichen.'[91] Wesentlich war vor allem die Einbeziehung der unternehmerischen und der marktwirtschaftlichen Elemente.[92]

Verwaltungsmodernisierung in Österreich

Seit Jahren wird in Österreich eine Reform der Verwaltung erwogen. Im Jahre 2000 trat eine Aufgabenreformkommission mit dem Ziel zusammen, um zu eruieren welche Aufgaben der Staat und welche Aufgaben nicht vom Staat zu erbringen sind. Die angesprochenen Reformen wurden jedoch nur bruchstückhaft umgesetzt.[93] So, dass auch Schelling[94] erkennt, man habe die strategische zukunftsorientierte Aus-

---

öffentlichen Verwaltung, Auswirkungen auf Organisation, Bürgernähe, Beschäftigtenorientierung und Wirtschaftlichkeit, Marburg, 2005, S. 139.
[86] Anmerkung des Autors: William Jefferson Clinton, geb. am 19. August 1946, war von 1993 bis 2001 Präsident der Vereinigten Staaten von Amerika. The White House, https://www.whitehouse.gov/about-the-white-house/presidents/william-j-clinton/ (abgerufen am 04.03.2021).
[87] Vgl. Schober, Wolfgang, Kommunikationsformen der Postmoderne und deren Auswirkungen auf Streitkräfte (ein Überblick), Bundesministerium für Landesverteidigung, http://www.bundesheer.at/pdf_pool/publikationen/09_vu1_04_kpa.pdf abgerufen am 04.03.2021).
[88] Vgl. Obermair, Anna, New Public Sector Management und die Verwaltungsreform in Österreich, WIFO, Wien, Monatsberichte 3/1999, S. 216.
[89] Vgl. Schedler, Kuno et al., New Public Management, 3. Auflage, Bern, 2006, S. 67.
[90] ebd., S. 5.
[91] Seewald, Peter, Webportal der Arbeitsinspektion, Nutzen, Handlungsveränderungen und Erwartungen der „Organe des Arbeitnehmerschutzes", Saarbrücken, 2010, S. 17.
[92] Vgl. Schedler, Kuno et al., New Public Management, 3. Auflage, Bern, 2006, S. 66.
[93] Vgl. Moser, Josef, Potenziale für eine Verwaltungsreform aus Sicht des Rechnungshofes, in: Managementforum 2010, Public Management in Zeiten der Budgetkonsolidierung, Wien, 2010, S. 29.
[94] Anmerkung des Autors: siehe Fußnote 8.

richtung versäumt und benötige gegenüber dem Jahre 2009 nunmehr die dreifache Anstrengung[95].

Nunmehr gilt es die Prozesse in der Verwaltung, die jeweilige Kultur, zu verändern und diese sollten, unter Nutzung der Potentiale[96] der im öffentlichen Dienst Beschäftigten, zu einem Umbau des Staatsapparates führen. Das Anforderungsprofil des dynamischen Verwaltungsmanagers, welcher öfters nach neuen Herausforderungen sucht, ist gefragt und nicht mehr der Beamtentypus, der in seiner Laufbahn nur wenige Funktionen ausübt. Die Bereiche Privatwirtschaft und öffentliche Verwaltung sollen nicht mehr strikt getrennt sein, sondern ein Wechseln zwischen diesen Bereichen wird nunmehr gewünscht.[97]

Ziel der modernen Verwaltung ist es als Dienst- und Leistungsverwaltung und nicht so sehr als Hoheitsverwaltung, verbunden mit Befehls- und Zwangsakten, aufzutreten. Die Beschäftigten des Öffentlichen Dienstes haben sich unter der Nutzung moderner Technologien den erhöhten Ansprüchen an ihre Leistungsfähigkeit, Serviceorientierung[98] und Gesetzestreue zu stellen.[99] Das nunmehr geforderte Erscheinungsbild des Öffentlichen Dienstes hat sich von den negativen Vorurteilen wie Immobilität, Ärmelschonermentalität oder Reformfeindlichkeit[100] entfernt und auch der bisherige oftmals bürokratische, passive, reaktive und regelorientierte Arbeitsstil der Mitarbeiter in der öffentlichen Verwaltung muss sich diesem Wandel anpassen, jedoch sind nicht alle dieser Änderung gewachsen.[101]

---

[95] Vgl. Schelling, Hans Jörg, Weniger ausgeben als einnehmen, in: trend, Wien, Ausgabe 5/2014, S. 29f.
[96] Vgl. Biwald, Peter, Demographischer Wandel und Konsequenzen für das Personalmanagement im Public Sector, KDZ-Forum Public Management 4/09, Wien, 2009, S. 18.
[97] Vgl. Makolm, Josef et al., Zielsetzung und Motivatoren für Wissensmanagement in der öffentlichen Verwaltung, in: Makolm, Josef et al. (Hrsg.): Wissensmanagement in der öffentlichen Verwaltung: Konzepte, Lösungen und Potentiale, Wien, 2005, S. 4.
[98] Vgl. Heinisch-Hosek, Gabriele, Vorwort, in: Das Personal des Bundes 2012. Daten und Fakten, Bundesministerium für Frauen und Öffentlichen Dienst, Sektion III, Wien, 2012, S. 1.
[99] Vgl. Flatz, Angelika, Vorwort, Qualitätsmanagement mit dem CAF, Leitfaden für die CAF-Anwendung, Bundesministerium für Frauen und Öffentlichen Dienst im Bundeskanzleramt Österreich, 2. Auflage, Wien, 2011, S. 3.
[100] Vgl. Fiedler, Franz, Zum Geleit, in: Megner, Karl, Beamtenmetropole Wien 1500 – 1938, Bausteine zu einer Sozialgeschichte der Beamten vorwiegend im neuzeitlichen Wien, Wien, 2010, S. V.
[101] Vgl. Obermair, Anna, New Public Sector Management und die Verwaltungsreform in Österreich, WIFO, Wien, Monatsberichte 3/1999, S. 221.

Auch wenn diese Entwicklung bei den Bürgerinnen und Bürgern großen Anklang findet, so wird festgestellt, dass mit dem Rückzug[102] des Berufsbeamtentum als Institution und dem Vorhaben einer Gesundung des Staates durch Personalreduktion und Einsparung budgetärer Mittel[103], dieser Umstand von manchen, so auch von Burger[104] kritisch betrachtet wird: ‚Denn immerhin: Die Pragmatisierung ermöglicht grundsätzlich den Widerstand gegen parteiliche Einflussnahme.‛[105] Durch den Druck auf die öffentliche Verwaltung, nunmehr vor allem nach den Managementkriterien Effizienz und Wirtschaftlichkeit zu agieren, wird ein Rückgang der bisherigen Werte wie Loyalität, Pflichtbewusstsein, Rechtschaffenheit und Orientierung am Allgemeinwohl erkannt. Somit besteht die Befürchtung, die Mitarbeiter der öffentlichen Verwaltung könnten ihr Handeln auch nicht mehr an der Ethik[106] orientieren[107].

Wirkungsorientierte Haushaltsführung

Bei der bisherigen inputgesteuerten Verwaltung stand die Rechtmäßigkeit im Vordergrund, jedoch nicht die angestrebten Wirkungen. Der Politik war es auch nicht möglich den Mitteleinsatz hinsichtlich deren Effizienz zu überprüfen.[108] Durch das Bundeshaushaltsgesetz 2013[109], sowie der Verankerung der Wirkungsorientierung in der Bundesverfassung, bilden nunmehr ‚ … nicht die zur Verfügung stehenden Ressourcen, sondern die angestrebten Wirkungen und die hierfür erforderlichen

---

[102] Vgl. Megner, Karl, Beamtenmetropole Wien 1500 – 1938, Bausteine zu einer Sozialgeschichte der Beamten vorwiegend im neuzeitlichen Wien, Wien, 2010, S. 7.

[103] Vgl. Dvořák, Johann, Politikwissenschaftliche Bemerkungen über den modernen Staat und über Theorien zum modernen Staat, in: Dvořák, Johann et al. (Hrsg.): Staat – Globalisierung – Migration, Wien, 2011, S. 44f.

[104] Anmerkung des Autors: Dr. Rudolf Burger, geb. am 8. Dezember 1938, gest. am 19. April 2021, ab 1991 Vorstand der Lehrkanzel für Philosophie an der Universität für angewandte Kunst in Wien und von 1995 bis 1999 Rektor, mit Ende des Sommersemesters 2007 emeritiert. Wikipedia, Die freie Enzyklopädie, https://de.wikipedia.org/wiki/Rudolf_Burger_(Philosoph) (abgerufen am 22.04.2021).

[105] Burger, Rudolf, Nur das Volk zu fragen, ergibt keine politische Richtung, Im Gespräch, KURIER, 15. April 2012, S. 10.

[106] Anmerkung des Autors: siehe Kapitel 2.3.

[107] Vgl. Huhnholz, Klemens et al., Verwaltungsmodernisierung und Verwaltungsethik, Auf der Suche nach Zusammenhängen zwischen New Public Management und Korruption, in: Reinermann, Heinrich (Hrsg.), Verwaltung & Management, 17. Jahrgang, Heft 3, 2011, S. 120.

[108] Vgl. Schwarenthorer, Franz, Wirkungsorientierung – ein Instrument zur Auswahl von Einsparungspotential?, in: Managementforum 2010, Public Management in Zeiten der Budgetkonsolidierung, Bundeskanzleramt Österreich, Verwaltungsakademie des Bundes, Wien, 2010, S. 56.

[109] Bundesgesetz über die Führung des Bundeshaushaltes (Bundeshaushaltsgesetz 2013 – BHG 2013), BGBl. I Nr. 139/2009.

Leistungen den Ausrichtungsmaßstab des Verwaltungshandelns ....'[110]. Den politischen Verantwortungsträgern kommt durch das Parlament verstärkter Einfluss zu. Für den Rechnungshof besteht wiederum die Möglichkeit einen Beitrag zur parlamentarischen Diskussion, im Rahmen seines Prüfauftrages, zu liefern.[111]"[112]

2.2 Die Arbeitsinspektion

2.2.1 Die Geschichte der Arbeitsinspektion

Seit dem Jahre 1883 kontrollierte die Gewerbeinspektion (siehe Abbildung 3) die Einhaltung der Schutzvorschriften. „In der Einleitung zum ‚Vorlage-Bericht des k.k. Central-Gewerbeinspectors Dr. F. Migerka[113] an Seine Excellenz den k.k. Handelsminister Herrn Felix Freiherrn Pino von Friedenthal[114] über die Amtsthätigkeit der Gewerbeinspectoren im Jahre 1884` wird dazu festgehalten: ‚In der zweiten Hälfte des Monats Jänner 1884 ernannte der Handelsminister im Einvernehmen mit dem Ministerpräsidenten als Leiter des Ministeriums des Inneren 9 Gewerbeinspectoren und wurde nach ihrer Beeidigung der Beginn ihrer Amtsthätigkeit für den 1. Februar 1884 bestimmt.`"[115]

---

[110] Geppl, Monika et al., Wirkungsorientierte Steuerung in der österreichischen Bundesverwaltung, in: Bauer, Helfried et al. (Hrsg.), Gutes Regieren, Konzepte – Realisierungen – Perspektiven, Wien – Graz, 2011, S. 421.

[111] Vgl. Moser, Josef, Verwaltungsreform aus Sicht des Rechnungshofes – Stand und Perspektiven, in: Bauer, Helfried et al. (Hrsg.), Gutes Regieren, Konzepte – Realisierungen – Perspektiven, Wien – Graz, 2011, S. 579.

[112] Seewald, Peter, Ethik in der Arbeitsinspektion – ein Widerspruch?, Eine Studie im Bereich der Arbeitsinspektion, Hamburg, 2014, S. 30ff.

[113] Anmerkung des Autors: Dr. Franz Migerka, geboren 20. September 1828, gestorben 21. Februar 1915, Hofrat, Zentralinspektor der Gewerbeinspektion, Direktor der Ersten Österreichischen Sparkasse, Begründer des Gewerbehygienischen Museums in Wien. Wikipedia, Die freie Enzyklopädie, https://de.wikipedia.org/wiki/Franz_Migerka (abgerufen am 04.03.2021).

[114] Anmerkung des Autors: Felix Freiherr Pino von Friedenthal, geboren 14. Oktober 1825, gestorben 14. April 1906. Wikipedia, Die freie Enzyklopädie, https://de.wikipedia.org/wiki/Felix_Pino_von_Friedenthal (abgerufen am 04.03.2021).

[115] o.V., 125 Jahre Arbeitsinspektion in Österreich, Die Arbeitsinspektion im Wandel der Zeit, Wien, 2009, S. 9.

117.

Gesetz vom 17. Juni 1883,

betreffend die Bestellung von Gewerbeinspectoren.

Mit Zustimmung beider Häuser des Reichsrathes finde Ich anzuordnen, wie folgt:

§. 1.

Der Handelsminister wird ermächtigt, die erforderliche Anzahl von Gewerbeinspectoren und einen Central-Gewerbeinspector, im Einvernehmen mit dem Minister des
Innern, zu ernennen.

Abbildung 3: Gesetz von der Gründung der Gewerbeinspektion
Quelle: Österreichische Nationalbibliothek,https://alex.onb.ac.at/cgi-
content/alex?aid=rgb&datum=18830004&seite=00000396 (abgerufen am 04.03.2021).

Der Gewerbeinspektor war jedoch anfangs nur ein Hilfsorgan der Gewerbebehörde,
war es diesem auch nicht gestattet Anordnungen zu treffen oder durchzusetzen und
war der " ... gleichfalls bestellte ‚Central-Gewerbeinspector' ... auf Grund seiner
geringen Kompetenzen eher nur als Beirat der ministeriellen Gewerbabteilung anzusehen." [116]. In diesem Zusammenhang wird auch auf die geringe Kontrollwirkung
der Gewerbeinspektoren hingewiesen und ist dies daran ersichtlich, " ... dass für die
österreichische Reichshälfte (etwa 3,5-mal die Fläche des heutigen Österreichs mit
allerdings hohem Agraranteil; 28 Millionen EinwohnerInnen) 1890 nur 16 und 1902
nur 29 Gewerbeinspektoren zuständig waren." [117]

„Bis zum Jahre 1914 kam es zu einer ständigen Fortentwicklung des Arbeitnehmerschutzes durch diverse neue Gesetze in den Bereichen Arbeitszeit, Sonn- und
Feiertagsruhe, sowie im Gebiet des technischen Arbeitnehmerschutzes.[118]

Das Ende der Monarchie führte zu einer Neuordnung des Staates und es wurden
nunmehr die Bundesregierung und die Bundesministerien zu den Zentralbehörden,
die Landesregierungen und Bezirkshauptmannschaften zu den Mittel- bzw. Unter-
behörden gezählt.[119]"[120]

---

[116] Püringer, Joe, Die Entwicklung des Arbeitsrechts in Österreich. in: Ausbildung zur
Sicherheitsfachkraft, 6. Auflage, Band 1, Wien, 2014, S. 36.
[117] ebd., S. 36.
[118] Vgl. Mazohl, Astrid et al., 111 Jahre Arbeitsinspektorat Wiener Neustadt, Arbeitssicherheit im
Wandel der Zeit, Wiener Neustadt, 1997, S. 13.
[119] Vgl. Lehner, Oskar, Österreichische Verfassungs- und Verwaltungsgeschichte, 4. Auflage, Linz,
2007, S. 298.
[120] Seewald, Peter, Ethische Handlungen im Bereich der Arbeitsinspektion in Österreich, Eine
Betrachtung unter der Perspektive des Berufsethos und der Verwaltungsethik, München, 2014, S. 29f.

Im Jahre 1921 kam es zu einer Änderung der rechtlichen Grundlage für die Tätigkeit der Gewerbeinspektion[121] und wurden die einstigen Hilfsorgane der Landesbehörden zur Gewerbeinspektion zusammengefasst. [122]

"Durch den Anschluss Österreichs an das Deutsche Reich am 13. März 1938, fiel Adolf Hitler[123], in der Zeit von 1938 bis 1945, die Rolle des Staatsoberhauptes zu. Die Vereidigung der Beamten erfolgte auf ihn als Person[124] und führte daher zu ‚... einer einseitigen unauflöslichen Bindung des Beamten an die totalitäre Staatsführung ....'[125] In der Zeit des Zweiten Weltkrieges von 1939 bis 1945 kam es kriegsbedingt zu einer Verschlechterung des Arbeitnehmerschutzes. Beispielhaft wird die Verdunkelungsvorschrift angeführt, die zu einer Minderbelüftung von Arbeitsräumen und somit zu einem Schadstoffanstieg in der Luft führte.[126]"[127]

Die Gewerbeaufsichtsämter, diese lösten am 1. April 1940 die Gewerbeinspektionen auf, wurden für Tätigkeiten herangezogen, die mit einer Kontrolle der Arbeitssicherheit nichts mehr zu tun hatte. Sie entschieden z.B. hinsichtlich des Anspruches der Arbeitnehmer auf Lebensmittel-Zulagekarten oder Seifenrationen.[128] "Wie der Arbeitsinspektionsbericht für 1947 rückblickend feststellt, standen der Gewerbeaufsicht während des Krieges für ihre wirklichen Aufgaben ‚vorsichtig geschätzt' nicht einmal 10 % der Kapazität zur Verfügung."[129]

---

[121] Bundesgesetz über die Gewerbeinspektion, BGBl Nr. 402/1921. 16 Aufsichtsbezirke und je ein Sonderinspektorat für Bauarbeiten und für Handels- und Verkehrsunternehmen in Wien sowie das Sondergewerbeinspektorat für Binnenschifffahrt wurden eingerichtet (BGBl Nr. 459 und 460/1921). 1923 standen 52 männliche und 9 weibliche Aufsichtsorgane im Dienst. 1931 erreichte die Zahl an GewerbeinspektorInnen in der Ersten Republik mit 90 ihren Höchststand. 1921 wurde erstmals ein Gewerbeinspektionsarzt bestellt.
[122] Vgl. Püringer, Joe, Die Entwicklung des Arbeitsrechts in Österreich. in: Ausbildung zur Sicherheitsfachkraft, 6. Auflage, Band 1, Wien, 2014, S. 61.
[123] Anmerkung des Autors: Adolf Hitler geb. am 20. April 1889, gest. am 30. April 1945. o.V., Hitler, in: Gaede, Peter-Matthias (Hrsg.), GEO Themenlexikon, Band 18, Epochen, Menschen, Zeitenwenden, Mannheim, 2007, S. 516ff.
[124] Vgl. Lehner, Oskar, Österreichische Verfassungs- und Verwaltungsgeschichte, 4. Auflage, Linz, 2007, S. 349.
[125] Mommsen, Hans, „Wohlerworbene Rechte" und Treuepflichten, Geschichte und Gegenwart des deutschen Beamtentums, in: Grottian, Peter (Hrsg.): Wozu noch Beamten? Vom starren zum schlanken Berufsbeamtentum, Hamburg, 1996, S. 30.
[126] Vgl. Recker, Marie-Luise, Sozialpolitik, in: Benz, Wolfgang et al. (Hrsg.): Enzyklopädie des Nationalsozialismus. 5. Auflage, München, 2007, S. 130.
[127] Seewald, Peter, Ethik in der Arbeitsinspektion – ein Widerspruch?, Eine Studie im Bereich der Arbeitsinspektion in Österreich, Hamburg, 2014, S. 27.
[128] Vgl. Püringer, Joe, Die Entwicklung des Arbeitsrechts in Österreich. in: Ausbildung zur Sicherheitsfachkraft, 6. Auflage, Band 1, Wien, 2014, S. 78.
[129] ebd., S. 78.

„Am 27. April 1945 erfolgte die Proklamation über die Unabhängigkeit Österreichs von der damaligen provisorischen Staatsregierung. Die demokratische Republik Österreich sollte im Geiste der Verfassung von 1920 wieder errichtet werden.[130]

Der Arbeitnehmerschutz wurde durch das Arbeitsinspektionsgesetz 1947 durch die Erweiterung des gewerblichen Arbeitnehmerschutzes auf alle Betriebe wie z.B. Theater und Kraftwerke, sowie Banken ausgedehnt.[131] In den folgenden Jahren wurde der Arbeitnehmerschutz durch diverse Vorschriften wie z.b. die Maschinensicherheitsverordnung im Jahre 1961, das Arbeitnehmerschutzgesetz im Jahre 1973 und das Arbeitsinspektionsgesetz[132] sukzessive erweitert. Im Jahre 1994 erfolgte der Beitritt Österreichs zum Europäischen Wirtschaftsraum und daher wurden die Richtlinien der Europäischen Union in das ArbeitnehmerInnenschutzgesetz[133] eingearbeitet.“[134]

Das Arbeitsinspektionsgesetz (siehe Abbildung 4) kommt 1993 und „... regelt ... die Aufgaben der Arbeitsinspektion und die Rechte der Organe der Arbeitsinspektion. Mit Beginn des Jahres 1995 trat das ASchG in Kraft. Der Wirkungsbereich der Arbeitsinspektion erstreckt sich auf Betriebsstätten und Arbeitsstellen aller Art.[135]“[136]

---

[130] Vgl. Schüssel, Therese et al., Das Werden Österreichs, Ein Arbeitsbuch für Österreichische Geschichte, 3. Auflage, Wien, 1975, S. 247.
[131] Vgl. Preßlmayer, Andrea, Allgemeine Unfallversicherungsanstalt (AUVA), http://www.auva.at/mediaDB/MMDB136738_ASQS-Bericht%202007.pdf (abgerufen am 17.01.2014).
[132] Arbeitsinspektionsgesetz 1993 (ArbIG), BGBl.Nr. 27 idgF.
[133] ArbeitnehmerInnenschutzgesetz (ASchG), BGBl.Nr. 450/1994 idgF.
[134] Seewald, Peter, Ethische Handlungen im Bereich der Arbeitsinspektion in Österreich, Eine Betrachtung unter der Perspektive des Berufsethos und der Verwaltungsethik, München, 2014, S. 30f.
[135] § 1 Abs 1 ArbIG, BGBl. Nr. 27/1993 idgF.
[136] Seewald, Peter, Arbeitnehmerschutz in den römisch-katholischen Pfarrämtern, Eine empirische Studie über die Pfarrämter in der Stadt St. Pölten, München, 1. Auflage, 2011, S. 6.

BUNDESGESETZBLATT

FÜR DIE REPUBLIK ÖSTERREICH

Jahrgang 1993	Ausgegeben am 14. Jänner 1993	16. Stück

27. Bundesgesetz: Arbeitsinspektionsgesetz 1993 — ArbIG
(NR: GP XVIII RV 813 AB 910 S. 99. BR: AB 4421 S. 563.)
[EWR/Anh. XVIII: 389 L 0391]
28. Bundesgesetz: Aufwandersatzgesetz sowie Änderung des Arbeits- und Sozialgerichtsgesetzes
(NR: GP XVIII RV 802 AB 916 S. 99. BR: AB 4423 S. 563.)

Abbildung 4: Arbeitsinspektionsgesetz 1993 - ArbIG
Quelle: Bundesministerium für Digitalisierung und Wirtschaftsstandort,
https://ris.bka.intra.gv.at/Dokumente/BgblPdf/1993_27_0/1993_27_0.pdf
(abgerufen am 04.03.2021).

Betriebsstätten und Arbeitsstellen, die der Aufsicht der Land- und Forstwirtschafts-
inspektion unterstehen, sind ebenso vom Wirkungsbereich der Arbeitsinspektion ausgenommen, wie die öffentlichen Unterrichts- und Erziehungsanstalten, die privaten
Haushalte, sowie die Kultusanstalten der gesetzlich anerkannten Kirchen und Religionsgesellschaften.[137]

Die Regelung der gesetzlich anerkannten Kirchen und Religionsgesellschaften erfolgt
im Art 15 StGG[138]. Die Regelungen betreffend Österreich und dem Heiligen Stuhl
finden sich im Konkordat[139]. „Da das ArbIG keine nähere Definition des Begriffes
Kultusanstalten enthält, wird daher auf jene der Österreichischen Bischofskonferenz
verwiesen: ‚Kultusanstalten iSd § 1 Abs 2 Z 5 ArbIG sind alle jene Einrichtungen der
Katholischen Kirche, welche unmittelbar oder mittelbar der Verwirklichung kirchlicher
Zwecke dienen.'[140] Diese Zwecke sind jene Bereiche und Handlungen, die der posi-
tiven Glaubenspflege behilflich sind. ‚Durch das ArbIG 1993 wurde der GB dieses
Gesetzes auf die Verwaltungsstellen der KuR ausgedehnt'[141] und ist somit die Zuständigkeit des Arbeitsinspektorates gegeben. Ausgenommen sind weiters auch jene

---

[137] § 1 Abs 2 ArbIG, BGBl. Nr. 27/1993 idgF.

[138] Staatsgrundgesetz über die allgemeinen Rechte der Staatsbürger RGBl 1867/142 idf BGBl
1988/684.

[139] Konkordat zwischen dem Heiligen Stuhl und der Republik Österreich vom 5. Juni 1933, BGBl II
1934/2.

[140] Kalb, Herbert et al., Religionsrecht, Wien, 2003, S. 282.

[141] Drs, Monika, Das Arbeitsrecht in der Kirche: individualrechtliche Aspekte, in: Rungaldier, Ulrich u.a.
(Hrsg.), Arbeitsrecht und Kirche, Zur arbeitsrechtlichen und sozialrechtlichen Stellung von Klerikern,
Ordensangehörigen und kirchlichen Mitarbeitern in Österreich, Wien, 2006, S. 117.

Bedienstete des Bundes, der Länder, der Gemeindeverbände und Gemeinden, die nicht in Betrieben beschäftigt sind.[142] Für jene Dienststellen des Bundes, die dem Bundesbedienstetenschutzgesetz[143] unterliegen, ist jedoch die Arbeitsinspektion mit der Überprüfung der Einhaltung dieses Gesetzes befasst.

Im Arbeitsinspektionsgesetz ist festgelegt, dass die Arbeitsinspektion den Arbeitgeberinnen und Arbeitgebern, sowie den Arbeitnehmerinnen und Arbeitnehmern unterstützend und beratend zur Verfügung steht.[144] Diesem Beratungsauftrag wird auch durch ein eigenes Webportal, dieses wurde zum Amtsmanager 2007 ausgezeichnet, nachgekommen und , ... dient das Webportal der Arbeitsinspektion der Präsentation von arbeitnehmerschutzrechtlich relevanten Informationen.'[145] Außerdem überwacht die Arbeitsinspektion die Einhaltung der Rechtsvorschriften.[146]

Auch wenn im ArbIG noch angeführt steht, dass die Arbeitsinspektorate unmittelbar dem Zentral-Arbeitsinspektorat unterstehen und der Leiter bzw. die Leiterin direkt dem Bundesminister für Arbeit, Soziales und Konsumentenschutz unterstehen[147], so trat mit 1. Februar 2021 die Änderung des Bundesministeriengesetzes (siehe Abbildung 5)[148] in Kraft und sind nun die Arbeitsinspektorate und das Zentral-Arbeitsinspektorat ein Teil des Bundesministeriums für Arbeit (BMA). Am 1. Februar 2021 wurde als zuständiger Bundesminister Univ.-Prof. Mag. Dr. Martin Kocher[149] angelobt.

---

[142] § 1 Abs 3 ArbIG, BGBl. Nr. 27/1993 idgF.
[143] Bundesbedienstetenschutzgesetz (B-BSG), BGBl. I Nr. 70/1999 idgF.
[144] § 3 Abs 1 ArbIG, BGBl. Nr. 27/1993 idgF.
[145] Seewald, Peter, Das Webportal der Arbeitsinspektion, Ausgezeichnet zum Amtsmanager 2007, aber wie zufrieden sind eigentlich die KundInnen damit?, in: Inside, Nr. 1, März 2010, S. 3 – 4.
[146] § 3 Abs 1 ArbIG, BGBl. Nr. 27/1993 idgF.
[147] § 16 Abs 1 ArbIG, BGBl. Nr. 27/1993 idgF.
[148] 30. Bundesgesetz, mit dem das Bundesministeriengesetz 1986 geändert wird (Bundesministeriengesetz-Novelle 2021).
[149] Anmerkung des Autors: Univ.-Prof. Mag. Dr. Martin Kocher, geb. am 13. September 1973, Bundesministerium für Arbeit, https://www.bma.gv.at/Ministerium/Bundesminister-Martin-Kocher.html (abgerufen am 15.03.2022).

BUNDESGESETZBLATT
FÜR DIE REPUBLIK ÖSTERREICH

Jahrgang 2021	Ausgegeben am 31. Jänner 2021	Teil I

30. Bundesgesetz: Bundesministeriengesetz-Novelle 2021
(NR: GP XXVII IA 1205/A AB 633 S. 79. BR: AB 10537 S. 921.)

30. Bundesgesetz, mit dem das Bundesministeriengesetz 1986 geändert wird (Bundesministeriengesetz-Novelle 2021)

Der Nationalrat hat beschlossen:

Das Bundesministeriengesetz 1986, BGBl. Nr. 76 1986, zuletzt geändert durch das Bundesgesetz BGBl. I Nr. 8 2020, wird wie folgt geändert:

1. § 1 Abs. 1 Z 4 lautet:

„4. das Bundesministerium für Arbeit,"

Abbildung 5: Bundesministeriengesetz-Novelle 2021
Quelle: Bundesministerium für Digitalisierung und Wirtschaftsstandort,
https://ris.bka.intra.gv.at/Dokumente/BgblAuth/BGBLA_2021_I_30/BGBLA_2021_I_30.pdfsig
(abgerufen am 03.03.2021).

Organisatorisch ist in jedem Bundesland zumindest ein Arbeitsinspektorat einge-richtet[150] und steht jedem Arbeitsinspektorat ein arbeitsinspektionsärztlicher Dienst zur Verfügung.[151] Weiters ist in jedem Arbeitsinspektorat mindestens eine Hygiene-technikerin bzw. ein Hygienetechniker, für Aufgaben auf dem Gebiet der Arbeits-hygiene[152], mindestens eine Arbeitsinspektorin bzw. ein Arbeitsinspektor zur Über-wachung der Einhaltung der Schutzvorschriften für Kinder und Jugendliche[153], sowie mindestens eine Arbeitsinspektorin zur Überwachung der Schutzvorschriften für Mutterschutz zu bestellen.[154]

2.2.2 Zuständigkeit, Wirkungsbereich und Aufgabe der Behörde Arbeitsinspektion

In Österreich sind 15 Arbeitsinspektorate für die Wahrnehmung des Arbeitnehmer-Innenschutzes zuständig und unterstehen diese der Sektion II (Arbeitsrecht und Zentral-Arbeitsinspektorat) im Bundesministerium für Arbeit (BMA), deren Leiterin,

---

[150] § 14 Abs 1 ArbIG, BGBl. Nr. 27/1993 idgF.
[151] § 17 Abs 1 ArbIG, BGBl. Nr. 27/1993 idgF.
[152] § 17 Abs 2 ArbIG, BGBl. Nr. 27/1993 idgF.
[153] § 17 Abs 3 ArbIG, BGBl. Nr. 27/1993 idgF.
[154] § 17 Abs 4 ArbIG, BGBl. Nr. 27/1993 idgF.

zur Zeit der gegenständlichen Studie ist dies SC[in] Mag.[a] Dr.[in] Anna Ritzberger-Moser, bzw. deren Leiter unterstehen direkt der Bundesministerin bzw. dem Bundesminister, zur Zeit der Studie ist dies Bundesminister Mag. Dr. Martin Kocher.[155]

„Der Wirkungsbereich der Arbeitsinspektion erstreckt sich auf Betriebsstätten und Arbeitsstellen aller Art.[156] Betriebsstätten und Arbeitsstellen, die der Aufsicht der Land- und Forstinspektion unterstehen, sind ebenso vom Wirkungsbereich der Arbeitsinspektion ausgenommen, wie die privaten Haushalte, die Kultusanstalten der gesetzlich anerkannten Kirchen und Religionsgemeinschaften, sowie die öffentlichen Unterrichts- und Erziehungsanstalten.[157]"[158] „Des weiteren ausgenommen sind die Bediensteten des Bundes, der Länder, der Gemeindeverbände und Gemeinden, die nicht in Betrieben beschäftigt sind.[159]"[160]

„Die Arbeitsinspektion ist mit der Überprüfung der Einhaltung des Bundes-Bedienstetenschutzgesetzes[161] in jenem Bereich zuständig, in welchem dieses Gesetz für Dienststellen des Bundes Anwendung findet. Die beratende und unterstützende Komponente der Arbeitgeberinnen und Arbeitgeber, sowie der Arbeitnehmerinnen und Arbeitnehmer durch die Arbeitsinspektion wird ebenso im Arbeitsinspektionsgesetz geregelt.[162]"[163] Die Arbeitsinspektion ist im Hinblick auf Offenheit und Internetpräsenz ein Vorreiter im Bereich der Behörden, wurde doch bereits im Jahre 2007 das damalige Webportal der Arbeitsinspektion zum Amtsmanager 2007 ausgezeichnet.[164] Auch durch das seit März 2020 neue Webportal der Arbeitsinspektion ist ersichtlich, dass dem Beratungsauftrag verstärkt nachgekommen wird. Eine weitere wichtige Aufgabe ist die Überwachung der Einhaltung von Rechtsvorschriften durch die Arbeitsinspektion.[165]

---

[155] Vgl. § 16 Abs 1 ArbIG, BGBl. Nr. 27/1993 idgF.
[156] § 1 Abs 1 ArbIG, BGBl. Nr. 27/1993 idgF.
[157] § 1 Abs 2 ArbIG, BGBl. Nr. 27/1993 idgF.
[158] Seewald, Peter, Arbeitnehmerschutz in den römisch-katholischen Pfarrämtern, Eine empirische Studie über die Pfarrämter in der Stadt St. Pölten, München, 2011, S. 6.
[159] § 1 Abs 3 ArbIG, BGBl. Nr. 27/1993 idgF.
[160] Seewald, Peter, Ethik in der Arbeitsinspektion – ein Widerspruch?, Eine Studie im Bereich der Arbeitsinspektion in Österreich, Hamburg, 2014, S. 44.
[161] Bundes-Bedienstetenschutzgesetz (B-BSG), BGBl. I Nr. 70/1999 idgF.
[162] § 3 Abs 1 ArbIG, BGBl. Nr. 27/1993 idgF.
[163] Seewald, Peter, Ethische Handlungen im Beriech der Arbeitsinspektion in Österreich, Eine Betrachtung unter der Perspektive des Berufsethos und der Verwaltungsethik, 2014, München, S. 48.
[164] Vgl. Seewald, Peter, Das Webportal der Arbeitsinspektion, Ausgezeichnet zum Amtsmanager 2007, aber wie zufrieden sind eigentlich die KundInnen damit?, in: Insider, Nr. 1, März 2010, S. 3 – 4.
[165] § 3 Abs 1 ArbIG, BGBl. Nr. 27/1993 idgF.

„Für die Fachbereiche Arbeitshygiene, die Überwachung der Einhaltung der Schutz-vorschriften für Kinder und Jugendliche, sowie die Überwachung der Einhaltung der Schutzvorschriften für Frauenarbeit und Mutterschutz ist in jedem Arbeitsinspektorat ein Organ der Arbeitsinspektion bestellt.

Ergänzt wird dies durch die Bestellung von Arbeitsinspektionsärztinnen bzw. –ärzte zur Wahrnehmung des ArbeitnehmerInnenschutzes betreffend der Arbeitshygiene und zur Verhütung von Berufskrankheiten.[166"167]

2.3 Die Ethik

Da sich sowohl der Forschungsgegenstand (siehe Kapitel 1.2), als auch die Detail-frage (siehe Kapitel 1.4.1) dieser Studie mit der Thematik eines etwaig ethischen Handelns der Organe der Arbeitsinspektion befasst, wird in diesem Kapitel auf Allgemeines in der Ethik, die Begrifflichkeit der ethischen Handlungen und den Begriff des Berufsethos eingegangen.

2.3.1 Allgemeines zur Ethik

„Um den Begriff Ethik näher zu definieren, ist es notwendig auf den Ursprung dieses Wortes zu verweisen. Ethik wird vom griechischen Wort ‚éthos' abgeleitet und , … ist die Lehre vom Sittlichen, die in engem Zusammenhang mit den Regeln des Handelns und Verhaltens …'[168], , … den Regeln richtigen menschlichen Verhaltens.'[169], steht. Als philosophische Disziplin geht die Ethik ursprünglich auf Aristoteles[170] zurück.[171"172]

Hinsichtlich der umgangssprachlich oftmals als gleichwertig verwendeten Begriffe „Ethik" und „Moral", wird auf das bereits angeführte Werk von Kant „Grundlegung zur

---

[166] § 17 ArbIG, BGBl. Nr. 27/1993 idgF.
[167] Seewald, Peter, Ethische Handlungen im Bereich der Arbeitsinspektion in Österreich, Eine Betrachtung unter der Perspektive des Berufsethos und der Verwaltungsethik, München, 2014, S. 49f.
[168] o.V., Ethik, in: Gaede, Peter-Matthias (Hrsg.), GEO Themenlexikon, Band 14, Philosophie, Ideen, Denker, Visionen, Mannheim, 2007, S. 92.
[169] Zinkl, Werner, Fairness und Gerechtigkeit, zentrale Ergebnisse der „Welser Erklärung", in: Bauer, Helfried et al. (Hrsg.), Gutes Regieren, Konzepte – Realisierungen – Perspektiven, Wien – Graz, 2011, S. 406.
[170] Anmerkung des Autors: Aristoteles, geb. 384 v. Chr., gest. 322 v. Chr., griechischer Philosoph, neben Platon der bedeutendste Philosoph der griechischen Antike. o.V., Aristoteles, in: Gaede, Peter-Matthias (Hrsg.), GEO Themenlexikon, Band 14, Ideen, Denker, Visionen, Mannheim, 2007, S. 29ff.
[171] Vgl. Höffe, Otfried, Lexikon der Ethik, 7. neubearbeitete und erweiterte Auflage, München, 2008, S. 71.
[172] Seewald, Peter, Ethik in der Arbeitsinspektion – ein Widerspruch?, Eine Studie im Bereich der Arbeitsinspektion in Österreich, Hamburg, 2014, S. 34.

Metaphysik der Sitten" (siehe Kapitel 1.4.1) hingewiesen, wonach sich die „Ethik" auf das Individuum bezieht und als „Moral" die Umgangsregel zwischen Personen bezeichnet wird. [173] Auch Popper[174] führt zur Ethik aus „Den Geist der Kantischen Ethik ... vielleicht in die Worte zusammenfassen: Wage es, frei zu sein, und achte und beschütze die Freiheit aller anderen."[175].

„Folgt man den Ausführungen von Kant und Popper, so ergibt sich als Voraussetzung ethischen Handelns die Wahlmöglichkeit zwischen Entscheidungen.[176] Und so wird auf das Werk ‚Nikomachische Ethik' verwiesen, in welchem Aristoteles feststellt: ‚Denn überall, wo es in unserer Macht steht zu handeln, da steht es auch in unserer Macht, nicht zu handeln, und wo das Nein, da auch das Ja.'[177]"[178] Auch wenn den Ausführungen von Aristoteles grundsätzlich gefolgt werden kann, muss doch festgestellt werden, dass gerade eine dementsprechende Wahlmöglichkeit in Organisationen der staatlichen Verwaltung äußerst eingeschränkt ist, unterliegen diese doch einer strikten Reglementierung durch z.B. Gesetze, Verordnungen, Erlässe.

Grundsätze für ein Zusammenleben, ein Zusammenarbeiten sind wichtig und so bringen Organisationen dies in Leitbildern zum Ausdruck, die aber nur das angestrebte hehre Bild darstellen[179] wie z.B. jenes der Arbeitsinspektion in Österreich[180].

---

[173] Vgl. Horster, Detlef, Ethik, Stuttgart, 2009, S. 7.
[174] Anmerkung des Autors: Sir Karl Raimund Popper, geb. am 28. Juli 1902, gest. am 17. September 1994, britischer Philosoph und Wirtschaftstheoretiker österreichischer Herkunft, war ab 1946 Professor für Logik und Wissenschaftstheorie an der London School of Economics. o.V., Popper, in: Gaede, Peter-Matthias (Hrsg.), GEO Themenlexikon, Band 14, Ideen, Denker, Visionen, Mannheim, 2007, S. 268f.
[175] Popper, Karl Raimund, Auf der Suche nach einer besseren Welt, Vorträge und Aufsätze aus dreißig Jahren, 9. Auflage, München, 1997, S. 146f.
[176] Vgl. Brodbeck, Karl-Heinz, Ethik und Moral, Eine kritische Einführung, Würzburg, 2003, S. 11.
[177] Aristoteles, Nikomachische Ethik, Buch III, Stuttgart, 1969, S. 66.
[178] Seewald, Peter, Ethische Handlungen im Bereich der Arbeitsinspektion in Österreich, Eine Betrachtung unter der Perspektive des Berufsethos und der Verwaltungsethik, München, 2014, S. 38.
[179] Vgl. Krüger, Michael, Leitbildgestützter Organisationswandel als Vermittlungsaufgabe zwischen gegensätzlichen Werten, in: Schweitzer, Gerd et al. (Hrsg.), Wert und Werte im Bildungsmanagement: Nachhaltigkeit – Ethik – Bildungscontrolling, Bielefeld, 2010, S. 99.
[180] Anmerkung des Autors: siehe Leitbild der Arbeitsinspektion, Bundesministerium für Arbeit, Sektion Arbeitsrecht und Zentral-Arbeitsinspektion, https://www.arbeitsinspektion.gv.at/Agenda/Die_Arbeitsinspektion/Leitbild.html (abgerufen am 04.03.2021).

Um dieses Leitbild einer breiten Öffentlichkeit zugänglich zu machen, wird diese über das Webportal[181] informiert.

Die Bürgerin bzw. der Bürger hat nicht nur aus ihrer bzw. seiner Rolle heraus, wie z.B. aus der der Steuerzahlerin bzw. der des Steuerzahlers, sondern einfach aufgrund dessen dass sie bzw. er Mensch ist, den gerechtfertigten Anspruch bedingungslos auf das Handeln der öffentlichen Verwaltung vertrauen zu dürfen. „Sie dürfen aber auch darauf vertrauen, dass die in der Verwaltung Tätigen im Rahmen ihres oftmals gesetzlich vorgegebenen Ermessensspielraumes Entscheidungen für den einzelnen Fall treffen, welche der Gesetzgeber im Gesetzgebungsverfahren nicht berücksichtigen konnte.[182"183] Solche Entscheidungen können jedoch nur getroffen werden, wenn ein „ … ethisches Gerüst als Grundlage für die Entscheidung, die mehr Gerechtigkeit schafft …"[184] vorhanden ist.

Die absolute Gesetzestreue stellt ein wesentliches Kriterium für das Handeln des Beamten dar, denn dieser ist „ … verpflichtet, seine dienstlichen Aufgaben unter Beachtung der geltenden Rechtsordnung … mit den ihm zur Verfügung stehenden Mitteln aus eigenem zu besorgen."[185] [186] Der hohe Stellenwert der dem gesetzestreuen Handeln des Beamten zukommt ist daran ersichtlich „ … , dass bei einer Verfehlung des Beamten, unabhängig von einer etwaigen strafrechtlichen Verfolgung, auch noch die Dienstpflichtverletzungen[187] geahndet werden, die bis zur Entlassung[188] führen können. Diese Möglichkeit der Disziplinarstrafe bedeutet für den

---

[181] Anmerkung des Autors: das Webportal der Arbeitsinspektion (www.arbeitsinspektion.gv.at) ist als Behördenportal zu bezeichnen, da eine bestimmte Verwaltungseinheit und deren Aufgabenspektrum abgebildet wird (Vgl. von Lucke, Jörn, Portale für die öffentliche Verwaltung – Governmental Portal, Departmental Portal und Life-Event Portal, in: Reinermann, Heinrich et al., (Hrsg.), Portale in der öffentlichen Verwaltung, Forschungsbericht, Band 205, 2. Auflage, Speyer, 2000, S. 13f. zitiert nach von Lucke, Jörn, Hochleistungsportale für die öffentliche Verwaltung, Köln, 2008, S. 181.
[182] Vgl. Heesen, Peter, Ethik in der öffentlichen Verwaltung – Zur Einführung, in: Trappe, Tobias (Hrsg.), Ausgewählte Probleme der Verwaltungsethik (I), Frankfurt, 2013, S. 15f.
[183] Seewald, Peter, Ethik in der Arbeitsinspektion – ein Widerspruch?, Eine Studie im Bereich der Arbeitsinspektion in Österreich, Hamburg, 2014, S. 36.
[184] ebd. S. 16.
[185] § 43 Abs 1 Beamten-Dienstrechtsgesetz 1979 – BDG 1979, BGBl. Nr. 333 idgF.
[186] Anmerkung des Autors: Der § 43 BDG 1979, BGBl. Nr. 333 idgF. ist auch auf Vertragsbedienstete anzuwenden (§ 5 Abs 1 Vertragsbedienstetengesetz 1948 – VBG, BGBl. Nr. 86 idgF.).
[187] § 91 Abs 1 BDG 1979, BGBl. Nr. 333 idgF.
[188] § 92 Abs 1 Z 4 BDG 1979, BGBl. Nr. 333 idgF.

Beamten den Verlust des Anspruches auf Ruhegenuss[189] und somit den Entzug der existentiellen wirtschaftlichen Grundlage.

Andererseits wird dem Beamten sehr wohl aufgetragen, sein ihm vom Vorgesetzten aufgetragenes Handeln zu hinterfragen und etwaig anders zu handeln. Denn ‚Hält der Beamte eine Weisung eines Vorgesetzten aus einem anderen Grund für rechtswidrig, so hat er, wenn es sich nicht wegen Gefahr im Verzug um eine unaufschiebbare Maßnahme handelt, vor Befolgung der Weisung seine Bedenken dem Vorgesetzten mitzuteilen. Der Vorgesetzte hat eine solche Weisung schriftlich zu erteilen, widrigenfalls sie als zurückgezogen gilt.'[190] [191] Dieser Weg des Beamten und des Vertragsbediensteten kommt insofern hohe Bedeutung zu, da dadurch nicht nur die Möglichkeit eingeräumt wird, das Handeln an eigenen ethischen Grundsätzen zu orientieren, sondern sogar die Pflicht besteht, zu remonstrieren[192]. Im Hinblick auf die Remonstrationspflicht ist somit offensichtlich, dass Rechtsordnungen in sich betrachtet nicht ethisch korrekt sind bzw. sein müssen.[193]"[194]

2.3.2 Ethische Handlungen

Das Ziel von Organisationen, so auch der Arbeitsinspektion, kann es nur sein als Einheit mit einer gemeinsamen Leistung aufzutreten. Diese gemeinsame Leistung, folgt man Drucker[195], kann nur von Menschen mit gemeinsamen Werten, Zielen und Strukturen erreicht werden.[196] Daher ist es auch wichtig dies nicht nur nach Innen, sondern auch nach Außen zu kommunizieren[197].

---

[189] § 11 e Pensionsgesetz 1965 (PG 1965), BGBl Nr. 340 idgF.
[190] § 44 Abs 3 BDG 1979, BGBl. Nr. 333 idgF.
[191] Anmerkung des Autors: Für Vertragsbedienstete findet der gleiche Text, es wird lediglich das Wort „Beamte" durch „Vertragsbedienstete" ersetzt, Anwendung (§ 5a Abs 3 VBG, BGBl. Nr. 86 idgF.).
[192] Anmerkung des Autors: Das Wort „remonstrieren" kommt vom lateinischen Wort „remonstrare" und bedeutet „wiederzeigen".
[193] Vgl. Rotter, Manfred, Antworten ohne Fragen – Fragen ohne Antworten in der Schriftenreihe der Heeresunteroffiziersakademie 6, Berufsethische Bildung, Wien, 2005, S. 62.
[194] Seewald, Peter, Ethische Handlungen im Bereich der Arbeitsinspektion in Österreich, Eine Betrachtung unter der Perspektive des Berufsethos und der Verwaltungsethik, München, 2014, S. 40f.
[195] Anmerkung des Autors: Peter Ferdinand Drucker, geb. am 19. November 1909, gest. am 11. November 2005 war ein Ökonom und gilt als Pionier der modernen Managementlehre. Wiener Stadt- und Landesarchiv, https://www.geschichtewiki.wien.gv.at/Peter_Drucker (abgerufen am 04.03.2021).
[196] Vgl. Drucker, Peter, Was ist Management. Das Beste aus 50 Jahren, München, 2002, S. 19f.
[197] Vgl. Bauer, Helfried et al., Bürgernaher aktiver Staat, Public Management und Governance, Wien, 2013, S. 290.

Dies kann jedoch, folgt man Faust[198], nur dann gelingen, wenn eine Steuerung durch Regeln erfolgt, dies überwacht wird[199] und auch erkannt wird, dass der Ursprung allen Handelns beim Menschen selbst liegt[200] Hierzu ist jedoch der Mensch selbst gefordert, muss er doch aus eigenem Antrieb heraus, aus intrinsischer Motivation[201], handeln und auch die Führungsperson ist hinsichtlich ihrer Vorbildfunktion gefordert[202].

Auch wenn in jüngster Vergangenheit Organisationen, so auch die Arbeitsinspektion, Leitbilder entwickelten, so wird festgestellt, dass diese selbst keine Gesetze darstellen und auch als solche nicht verstanden werden sollten. Diese sollten vielmehr der Ergänzung der diversen reglementierten Vorgaben dienen und „... einen freiwilligen Beitrag zu einer nachhaltigen[203] Entwicklung ..."[204] leisten.

Somit kommt dem werteorientierten ethischen Handeln der Organe der Arbeitsinspektion, unter Berücksichtigung des im nächsten Kapitel erläuterten Berufsethos, ein wichtiger Beitrag im Hinblick auf die gesellschaftliche Verantwortung zu.

2.3.3 Berufsethos

Da das Handeln der Organe der Arbeitsinspektion nach bestimmten reglementierten Vorgaben (z.B. Gesetze, Verordnungen), nach einer Einschulungsphase und einer zu absolvierenden Dienstprüfung, sowie nach einem die Vorgaben ergänzenden Leitbild erfolgt, ist das daraus resultierende und auf moralischen und sittlichen Grundsätzen basierende Handeln wohl als das Handeln einer bestimmten Berufsgruppe und somit als Berufsethos zu bezeichnen.

---

[198] Anmerkung des Autors: Dr. Thomas Faust, geb. 1963 ist wissenschaftliches Mitglied der Kueser Akademie für Europäische Geistesgeschichte. Wikipedia, Die freie Enzyklopädie, https://de.wikipedia.org/wiki/Thomas_Faust (abgerufen am 04.03.2021).
[199] Vgl. Faust, Thomas, Verwaltungsethik in der Praxis – „Harte" und „weiche" Gesichtspunkte, Zeitschrift für Wirtschafts- und Unternehmensethik (Heft 2), 2008, S. 244ff.
[200] ebd. S. 250.
[201] ebd. S. 253.
[202] Vgl. Behnke, Nathalie, Alte und Neue Werte im öffentlichen Dienst, in: Blanke, Bernhard et al. (Hrsg.), Handbuch zur Verwaltungsreform, Wiesbaden, 2011, S. 341.
[203] Anmerkung des Autors: der Begriff der „Nachhaltigkeit" geht auf das Werk „Sylvicultura oeconomica oder Haußwirthliche Nachricht und Naturmäßige Anweisung zur Wilden Baum-Zucht" von Hans Carl von Carlowitz, geb. am 24. Dezember 1645, gest. am 3. März 1714 zurück und bezeichnet die kontinuierliche beständige und nachhaltende Nutzung, Frankfurter Allgemeine Zeitung, http://www.faz.net/aktuell/finanzen/hans-carl-von-carlowitz-er-hat-die-nachhaltigkeit-erfunden-12826006.html (abgerufen am 04.03.2021).
[204] Seewald, Peter, Ethik in der Arbeitsinspektion – ein Widerspruch?, Eine Studie im Bereich der Arbeitsinspektion in Österreich, Hamburg, 2014, S. 41.

In diesem Zusammenhang wird auf Bach[205] verwiesen, der bereits im Jahre 1849 in einem Rundschreiben die Einhaltung „ ... unbedingter Treue und Folgsamkeit gegenüber der obersten Regierungsspitze ...“[206] festlegte. „Er folgte hierbei dem Ideal Joseph II., in dem dieser den Beamten die Tugenden rastlos arbeitend, bürgernah, objektiv und unparteiisch zuordnete. Weiters erachtete Bach Begriffe wie Ehrenhaftigkeit, Verschwiegenheit, Eifer, Pünktlichkeit, Verlässlichkeit, Rechtlichkeit und Unbestechlichkeit, Bescheidenheit, Anstand und Würde für einen Beamten als geeignet.[207] Um die Beamten zu einer ordnungsgemäßen Dienstverrichtung anzuhalten, wurde im Jahre 1860 eine Verordnung mit Disziplinarstrafen wie z.B. Verweis, Geldstrafe, Entlassung erlassen.[208,209] Selbst Kaiser Franz Joseph I. sah sich als oberster Beamter und trug somit dem Beamtenethos Rechnung.[210] Dieser ist auch heute noch, folgt man Holzinger[211], zeitgemäß und wird „... als unbedingte Notwendigkeit im Sinne eines politisch neutralen öffentlichen Dienstes[212] ...“[213] gesehen.

Die strikte Gesetzes- und Weisungsgebundenheit[214] des Öffentlichen Dienstes wird laut Öhlinger[215] nicht angezweifelt, geht doch diese Erwartungshaltung bzw. dieses

---

[205] Anmerkung des Autors: Alexander Freiherr von Bach, geb. am 4. Jänner 1813, gest. am 12. November 1893, ab 1848 Justiz- später Innenminister, Archiv für die Geschichte der Soziologie in Österreich, http://agso.uni-graz.at/marienthal/biografien/bach_alexander_von.htm (abgerufen am 04.03.2021).

[206] Heindl, Waltraud, Josephinische Mandarine, Bürokratie und Beamte in Österreich, Band 2: 1848 bis 1914, Wien, Köln, Weimar, 2013, S. 57.

[207] Vgl. ebd. S. 57.

[208] Vgl. Kaiserliche Verordnung vom 10. März 1860, über die Disciplinarbehandlung der k.k. Beamten und Diener, RGBL. Nr. 64/1860.

[209] Seewald, Peter, Ethische Handlungen im Bereich der Arbeitsinspektion in Österreich, Eine Betrachtung unter der Perspektive des Berufsethos und der Verwaltungsethik, München, 2014, S. 46.

[210] Vgl. Friedländer, Otto, Letzter Glanz der Märchenstadt. Das war Wien um 1900, Wien, München, 1969, S. 66f.

[211] Anmerkung des Autors: Dr. Gerhart Holzinger, geb. am 12. Juni 1947, war von 1. Mai 2008 bis Ende 2017 Präsident des Österreichischen Verfassungsgerichtshofes und von 2011 bis 2014 Vorsitzender der Konferenz der Europäischen Verfassungsgerichte, Verfassungsgerichtshof der Republik Österreich, https://www.vfgh.gv.at/verfassungsgerichtshof/geschichte/gerhart_holzinger1.de.html (abgerufen am 04.03.2021).

[212] Vgl. o.V., Da dachte ich: Das hältst du nicht aus, derStandard.at; https://www.pressreader.com/austria/der-standard/20080816/281797099782820 (abgerufen am 04.03.2021).

[213] Seewald, Peter, Ethik in der Arbeitsinspektion – ein Widerspruch?, Eine Studie im Bereich der Arbeitsinspektion in Österreich, Hamburg, 2014, S. 43.

[214] Vgl. Öhlinger, Theo, Der öffentliche Dienst zwischen Tradition und Reform, Wien, 1992, S. 16.

[215] Anmerkung des Autors: em. o. Univ.-Prof. Dr. Theo Öhlinger, geb. am 22. Juni 1939, von 2003 bis 2005 Mitglied des Österreich-Konvent, Direktor der Verwaltungsakademie des Bundes von 1989 bis 1995, Vorstand des Instituts für Staats- und Verwaltungsrecht an der Universität Wien von 1995 bis

Anspruchsdenken auf die josephinische Tradition zurück, mit welcher die absolute Treue des Beamten zum Fürsten begründet wurde. Der Fürst trat seine Funktion an den Staat als Souverän[216] ab.[217]

2.4 Alles rund um die Verwaltungsstrafe

2.4.1 Zweck der Bestrafung

Folgt man Hengstschläger/Leeb[218] so kann die Bestrafung mehreres bezwecken, sie kann nämlich der General- bzw. der Spezialprävention oder der Vergeltung dienen.[219]

a) Generalprävention

Unter der Generalprävention wird eine abschreckende Wirkung durch die Androhung einer Strafe auf die Allgemeinheit verstanden. Durch diese Androhung soll die Allgemeinheit zur Einhaltung der diversen Gesetze angehalten werden.[220]

b) Spezialprävention

Im Gegensatz zur Generalprävention stellt die Spezialprävention auf den einzelnen Täter ab. Durch die Spezialprävention soll der Täter von weiteren strafbaren Handlungen abgehalten werden.[221]

2005, Wiener Stadt- und Landesarchiv, https://www.geschichtewiki.wien.gv.at/Theodor_%C3%96hlinger (abgerufen am 04.03.2021).

[216] Anmerkung des Autors: „Österreich ist eine demokratische Republik. Ihr Recht geht vom Volk aus.", siehe Artikel 1 des Bundes-Verfassungsgesetz (B-VG), BGBl. Nr. 1/1930 idgF.

[217] Vgl. Heindl, Waltraud, Josephinische Mandarine, Bürokratie und Beamte in Österreich, Band 2: 1848 bis 1914, Wien, Köln, Weimar, 2013, S. 90f.

[218] Anmerkung des Autors: em.o. Univ.-Prof. Dr. Johannes Hengstschläger, Johannes Kepler Universität Linz, https://www.jku.at/institut-fuer-staatsrecht-und-politische-wissenschaften/ueber-uns/team/johannes-hengstschlaeger/ (abgerufen am 04.03.2021); Univ.-Prof. Dr. David Leeb, Institutsvorstand/Abteilungsleiter, Johannes Kepler Universität Linz, https://www.jku.at/institut-fuer-staatsrecht-und-politische-wissenschaften/ueber-uns/team/david-leeb/ (abgerufen am 04.03.2021).

[219] Vgl. Hengstschläger, Johannes et al., Verwaltungsstrafverfahrensrecht, Verfahren vor den Verwaltungsbehörden und Verwaltungsgerichten, Wien, 2018, S. 375.

[220] ebd. S. 375.

[221] ebd. S. 376.

c) Vergeltung

Im krassen Gegensatz zur General- und auch zur Spezialprävention steht der Bestrafungszweck der Vergeltung. Durch die Vergeltung sollte ein Ausgleich zur begangenen Tat erfolgen. In der heutigen Rechtswissenschaft wird die Vergeltung jedoch als nicht mehr zeitgemäß betrachtet. Dies, obwohl die Allgemeinheit gerade diese Form der Bestrafung als die am ehesten geeignete ansieht Buße für eine Tat zu tun.[222]

2.4.2 Verwaltungsstrafen

Das Verwaltungsstrafrecht sieht drei Formen der Bestrafung vor

- die Freiheitsstrafe,
- die Geldstrafe und
- die Ersatzfreiheitsstrafe.

a) Die Freiheitstrafe

Die **Mindestdauer** der Freiheitsstrafe beträgt **zwölf Stunden**. Eine Freiheitsstrafe von mehr als zwei Wochen darf nur verhängt werden, wenn dies wegen besonderer Erschwerungsgründe geboten ist. Eine Freiheitsstrafe von mehr als sechs Wochen ist unzulässig. [223u 224]

b) Die Geldstrafe

„Die praktisch wichtigste Strafart des Verwaltungsstrafrechts ist die Geldstrafe. Die Höhe der zu verhängenden Geldstrafe richtet sich nach den Verwaltungsvorschriften. Abgesehen von Organstrafverfügungen ist eine Geldstrafe von **mindestens 7 Euro** zu verhängen. [225u 226]

---

[222] ebd. S. 376.
[223] § 12 Verwaltungsstrafgesetz 1991 – VStG.
[224] Bundesministerium für Digitalisierung und Wirtschaftsstandort,
https://www.oesterreich.gv.at/themen/dokumente_und_recht/verwaltungsstrafrecht/Seite.1020300.html
(abgerufen am 04.03.2021).
[225] § 13 VStG.

c) Die Ersatzfreiheitsstrafe

„Wenn eine Geldstrafe verhängt wird, wird für den Fall der Uneinbringlichkeit zugleich eine Ersatzfreiheitsstrafe festgesetzt. Für die **Höchstdauer** einer Ersatzfreiheitsstrafe gilt Folgendes:

- Die Ersatzfreiheitsstrafe darf das Höchstmaß der für die Verwaltungsübertretung angedrohten Freiheitsstrafe nicht übersteigen.
- Wenn keine Freiheitsstrafe angedroht und nicht anderes bestimmt ist, darf die Ersatzfreiheitsstrafe zwei Wochen nicht übersteigen.
- Eine Ersatzfreiheitsstrafe von mehr als sechs Wochen ist unzulässig.

Ist die **Geldstrafe uneinbringlich**, ist die festgesetzte Ersatzfreiheitsstrafe in Vollzug zu setzen.[227][228]

2.4.3 Verwaltungsstrafverfahren

„Verstöße gegen gesetzliche Vorschriften werden zum Teil von Gerichten … und zum Teil von **Verwaltungsbehörden**[229] … geahndet."[230] Für die Verwaltungsstrafverfahren der letzteren Behörden gilt das Allgemeine Verwaltungsverfahrensgesetz 1991 (AVG) und das Verwaltungsstrafgesetz 1991 (VStG).

Im Verwaltungsstrafverfahren sind grundsätzlich zwei Arten von Verfahren, das

A) abgekürzte Verwaltungsstrafverfahren und das

B) ordentliche Verwaltungsstrafverfahren

zu unterscheiden.

---

[226] Bundesministerium für Digitalisierung und Wirtschaftsstandort,
https://www.oesterreich.gv.at/themen/dokumente_und_recht/verwaltungsstrafrecht/Seite.1020300.html
(abgerufen am 04.03.2021).
[227] § 16 VStG.
[228] Bundesministerium für Digitalisierung und Wirtschaftsstandort,
https://www.oesterreich.gv.at/themen/dokumente_und_recht/verwaltungsstrafrecht/Seite.1020300.html
(abgerufen am 04.03.2021).
[229] Vgl. Art. II Abs. 1 des Einführungsgesetzes zu den Verwaltungsverfahrensgesetzen 2008 (EGVG).
[230] Bundesministerium für Digitalisierung und Wirtschaftsstandort,
https://www.oesterreich.gv.at/themen/dokumente_und_recht/verwaltungsstrafrecht/Seite.1020600.html
(abgerufen am 04.03.2021).

A) Abgekürzte Verwaltungsstrafverfahren[231]

a) Organstrafverfügung[232]

„Die Verwaltungsstrafbehörde (das ist in der Regel die Bezirksverwaltungsbehörde oder die Landespolizeidirektion) kann besonders geschulte Organe der
öffentlichen Aufsicht (z.B. Organe der Polizei oder Straßenaufsichtsorgane)
ermächtigen, wegen bestimmter, von ihnen dienstlich wahrgenommener oder
vor ihnen eingestandener Verwaltungsübertretungen mittels Organstrafverfügung **Geldstrafen bis zu einer Höhe von 90 Euro** einzuheben."[233]

b) Anonymverfügung[234]

„Das oberste Organ kann durch Verordnung zur Verfahrensbeschleunigung
einzelne Tatbestände von Verwaltungsübertretungen bestimmen, für die die
Behörde durch Anonymverfügung **Geldstrafen bis zu 365 Euro** vorschreiben
darf, wenn die Anzeige auf der dienstlichen Wahrnehmung eines Organs der
öffentlichen Aufsicht (z.B. Organe der Polizei oder Straßenaufsichtsorgane)
oder auf Verkehrsüberwachung mittels bildverarbeitender technischer Einrichtungen (z.B. Radarüberwachung, Section Control) beruht.

Die Anonymverfügung wird bei **bestimmten Übertretungen** (z.B. bei geringen
Geschwindigkeitsüberschreitungen oder der Missachtung eines roten Ampel-
signals) eingesetzt. Sie richtet sich **an keine bestimmte Person**, sondern wird
einer Person zugestellt, von der die Verwaltungsstrafbehörde annehmen kann,
dass sie die Täterin/den Täter kennt oder leicht feststellen kann."[235]

„Die **Einzahlung der Strafe** kann entweder mittels des der Anonymverfügung
beigegebenen Originalbelegs oder durch Überweisung des einzuhebenden
oder eines höheren Betrages (in dem Fall ist der Differenzbetrag abzüglich
zwei Euro zurückzuzahlen) auf das im Beleg angegebene Konto erfolgen.

---

[231] Anmerkung des Autors: 4. Abschnitt Verwaltungsstrafgesetz 1991 – VStG.
[232] § 50 VStG.
[233] Bundesministerium für Digitalisierung und Wirtschaftsstandort,
https://www.oesterreich.gv.at/themen/dokumente_und_recht/verwaltungsstrafrecht/1/Seite.1020110.ht
ml#org (abgerufen am 04.03.2021).
[234] § 49a VStG.
[235] Bundesministerium für Digitalisierung und Wirtschaftsstandort,
https://www.oesterreich.gv.at/themen/dokumente_und_recht/verwaltungsstrafrecht/1/Seite.1020110.ht
ml#org (abgerufen am 04.03.2021).

Wird der Strafbetrag fristgerecht eingezahlt, darf die Täterin/der Täter nicht ausgeforscht werden und das Verfahren ist abgeschlossen.

Gegen die Anonymverfügung können Sie **kein Rechtsmittel**[236] einlegen. Wenn Sie sich für unschuldig halten, müssen Sie lediglich die Einzahlung des Strafbetrages unterlassen.

Ist nach dem Ablauf einer Vierwochenfrist **keine Zahlung** auf dem Konto der zuständigen Stelle eingegangen, wird die Anonymverfügung gegenstandslos und **die Täterin/der Täter wird ausgeforscht** (z.B. durch eine Lenkererhebung). In diesem Fall hat die Zulassungsbesitzerin/der Zulassungsbesitzer zwei Wochen Zeit, die Lenkerin/den Lenker zu benennen. Gegen diese Person kann dann entweder eine Strafverfügung erlassen oder ein ordentliches Verwaltungsstrafverfahren eingeleitet werden. In diesen Fällen kann auch eine höhere als die in der Anonymverfügung festgesetzte Strafe verhängt werden."[237]

c) Strafverfügung[238]

„In folgenden Fällen kann die Verwaltungsstrafbehörde durch eine Strafverfügung eine **Geldstrafe in der Höhe von bis zu 600 Euro** festsetzen:

Wenn von einem Gericht, einer Verwaltungsbehörde, einem Organ der öffentlichen Aufsicht (z.B. Organe der Polizei oder Organe der Straßenaufsicht) oder einem militärischen Organ im Wachdienst aufgrund eigener dienstlicher Wahrnehmungen oder auf Grund eines vor ihnen abgelegten Geständnisses eine Verwaltungsübertretung angezeigt wird.

Wenn das strafbare Verhalten aufgrund von Verkehrsüberwachung mittels bildverarbeitender technischer Einrichtungen (z.B. Radarüberwachung, Section Control) festgestellt wird.

---

[236] Anmerkung des Autors: Unter Rechtsmittel versteht man eine formalisierte Anfechtung einer behördlichen oder gerichtlichen Entscheidung. Jedes Rechtsmittel ist an eine bestimmte Frist gebunden.
[237] Bundesministerium für Digitalisierung und Wirtschaftsstandort, https://www.oesterreich.gv.at/themen/dokumente_und_recht/verwaltungsstrafrecht/1/Seite.1020110.html#org (abgerufen am 04.03.2021).
[238] § 47 VStG.

Eine Strafverfügung ist **immer an eine natürliche Person**[239] **gerichtet**. Sie können eine Strafverfügung erhalten, wenn Sie beispielsweise eine Geschwindigkeitsbeschränkung mehr als nur in geringem Maße überschritten haben.

Die Strafverfügung wird nicht mehr mittels RSa-Briefs („Blauer Brief")[240] zugestellt. Seit 1. Juli 2013 ist eine Zustellung mittels RSb-Briefs (Weißer Brief")[241] vorgesehen – d.h. dass der Brief auch an eine Ersatzempfängerin/einen Ersatzempfänger zugestellt werden kann. Als Tag der Zustellung gilt der Tag der persönlichen Übergabe durch die Zustellerin/den Zusteller (z.B. Briefträgerin/Briefträger). Wenn die Strafverfügung nicht persönlich übergeben werden kann, ist sie bei der zuständigen Geschäftsstelle (z.B. Postamt), dem Gemeindeamt oder der Verwaltungsstrafbehörde zu hinterlegen. Die Strafverfügung wird dort mindestens zwei Wochen zur Abholung bereitgehalten – sie gilt grundsätzlich mit dem ersten Tag dieser Frist als zugestellt.

Gegen die Strafverfügung können Sie **binnen zwei Wochen** nach deren Zustellung schriftlich oder mündlich **Einspruch**[242] erheben. Der Einspruch kann sich gegen folgende Punkte richten:

- das Ausmaß bzw. die Art der verhängten Strafe,
- die Kostenentscheidung und
- den Schuldspruch

---

[239] Anmerkung des Autors: Das Recht unterscheidet zwischen natürlichen und juristischen Personen. Jeder Mensch gilt als „natürliche Person" und ist Träger von Rechten und Pflichten („Rechtssubjekt"). Eine juristische Person entsteht im Gegensatz zu einer natürlichen Person durch einen Rechtsakt (z.B. GmbH.).
[240] Anmerkung des Autors: Ein RSa-Brief (Rückscheinbrief blau) ist ein behördliches Schriftstück, das nur der Empfängerin/dem Empfänger selbst zu eigenen Handen zugestellt werden darf („eigenhändige Zustellung").
[241] Anmerkung des Autors: Ein RSb-Brief (Rückscheinbrief weiß) ist ein behördliches Schriftstück, das auch an eine Ersatzempfängerin bzw. einen Ersatzempfänger zugestellt werden kann. Ersatzempfängerin bzw. Ersatzempfänger ist jede erwachsene Person, die in der gleichen Wohnung wohnt. Zudem ist es möglich, einer anderen Person eine Vollmacht zur Entgegennahme des Briefes zu erteilen, wenn dies nicht durch einen Vermerk auf dem Dokument ausgeschlossen ist. Auch Arbeitnehmerinnen bzw. Arbeitnehmer sowie Arbeitgeber bzw. Arbeitgeber der Empfängerin bzw. des Empfängers, die zur Annahme der Sendung bereit sind, können Ersatzempfänger sein. Ist der Empfängerin bzw. die Ersatzempfängerin ortsabwesend und kann deshalb von der Zustellung nicht rechtzeitig Kenntnis erlangen, weil der Brief an eine Ersatzempängerin bzw. einen Ersatzempfänger zugestellt wurde, ist die Ersatzzustellung unwirksam.
[242] Anmerkung des Autors: Allgemein bedeutet Einspruch Einwand, Widerspruch und Protest gegen etwas. In der Amtssprache ist damit ein Rechtsmittel gemeint.

Wird im Einspruch ausdrücklich nur die Art oder das Ausmaß der verhängten Strafe oder die Entscheidung über die Kosten angefochten, bleibt die Strafverfügung im Übrigen in Kraft. Die Verwaltungsstrafbehörde hat in diesem Fall über den Einspruch zu entscheiden und die Strafverfügung allenfalls abzuändern; die nicht angefochtenen Teile, insbesondere der Schuldspruch, werden rechtskräftig. In den anderen Fällen tritt mit dem Einspruch die gesamte Strafverfügung außer Kraft.

Sie müssen den Einspruch **bei der Behörde, die die Strafverfügung erlassen hat, einbringen.** Im Einspruch können Sie die Ihrer Verteidigung dienlichen Beweismittel vorbringen. Wird der Einspruch rechtzeitig erhoben und nicht binnen zwei Wochen zurückgezogen oder eingeschränkt, ist die Strafverfügung gegenstandslos und es wird das ordentliche Verwaltungsstrafverfahren eingeleitet. In diesem darf keine höhere Strafe verhängt werden als in der Strafverfügung.

Wird **kein Einspruch** erhoben, wird die Strafverfügung rechtskräftig und kann vollstreckt werden."[243]

B) Ordentliches Verwaltungsstrafverfahren[244]

„Anders als bei Organstrafverfügungen, Anonymverfügungen und Strafverfügungen wird im ordentlichen Verwaltungsstrafverfahren ein **Ermittlungsverfahren**[245] durchgeführt und der Beschuldigten/dem Beschuldigten Gelegenheit gegeben, sich zu rechtfertigen.

Die Beschuldigte/der Beschuldigte hat in jeder Lage des Verfahrens das Recht mit einer Verteidigerin/einem Verteidiger Kontakt aufzunehmen, sie/ihn zu bevollmächtigen und sich ohne Überwachung mit ihr/ihm zu besprechen.

---

[243] Bundesministerium für Digitalisierung und Wirtschaftsstandort, https://www.oesterreich.gv.at/themen/dokumente_und_recht/verwaltungsstrafrecht/1/Seite.1020110.html#org (abgerufen am 04.03.2021).
[244] Anmerkung des Autors: 3. Abschnitt Verwaltungsstrafgesetz 1991 – VStG.
[245] Anmerkung des Autors: Das Ermittlungsverfahren dient dazu, einen Sachverhalt und einen Tatverdacht durch Ermittlungen (z.B. durch Auswertung einer Information) aufzuklären.

Die Verwaltungsstrafbehörde (das ist in der Regel die Bezirksverwaltungsbehörde oder die Landespolizeidirektion) kann die Beschuldigte/den Beschuldigten zur Vernehmung laden oder auffordern, nach ihrer/seiner Wahl entweder zu einem bestimmten Zeitpunkt zur **Vernehmung**[246] zu erscheinen oder sich bis zu diesem Zeitpunkt schriftlich zu rechtfertigen. Die Beschuldigte/der Beschuldigte hat die Möglichkeit, die zur Verteidigung dienlichen Beweismittel vorzulegen (z.b. Zeuginnen/Zeugen zu benennen).

Wenn die Beschuldigte/der Beschuldigte der Ladung **ungerechtfertigt** keine Folge leistet, kann das Verfahren ohne ihre/seine Anhörung durchgeführt werden.

Bei einer festgenommenen Beschuldigten/einem festgenommenen Beschuldigten – sofern sie/er eine Verteidigerin/einen Verteidiger bezogen hat – wird die Vernehmung grundsätzlich bis zu deren/dessen Eintreffen aufgeschoben.

Wird die Beschuldigte/der Beschuldigte zur Vernehmung vor die Verwaltungsstrafbehörde geladen oder vorgeführt, ist das Strafverfahren in **mündlicher Verhandlung** durchzuführen. Nach der Aufnahme der erforderlichen Beweise wird womöglich sogleich der Bescheid verkündet.

Beendet wird das ordentliche Strafverfahren durch Erlassung eines **Strafbescheides** (**"Straferkenntnis"**), eines Bescheides, mit dem eine Ermahnung ausgesprochen wird, oder mit der Einstellung des Verfahrens."[247]

2.4.4 Rechtsschutz im Verwaltungsstrafverfahren

a) Beschwerde beim zuständigen Verwaltungsgericht[248]

„Gegen den von der Behörde erlassenen Bescheid kann Beschwerde beim zuständigen Verwaltungsgericht erhoben werden:

---

[246] Anmerkung des Autors: Eine Vernehmung ist eine mündliche Befragung der bzw. des Beschuldigten.
[247] Bundesministerium für Digitalisierung und Wirtschaftsstandort, https://www.oesterreich.gv.at/themen/dokumente_und_recht/verwaltungsstrafrecht/1/Seite.1020120.html (abgerufen am 04.03.2021).
[248] § 7 des Bundesgesetzes über das Verfahren der Verwaltungsgerichte (Verwaltungsgerichtsverfahrensgesetz – VwGVG).

In Angelegenheiten, die in unmittelbarer Bundesverwaltung von Bundesbehörden besorgt werden, ist grundsätzlich das Bundesverwaltungsgericht zuständig (ausgenommen im Zuständigkeitsbereich des Bundesfinanzgerichts, insbesondere auch im Finanzstrafrecht), ansonsten das jeweilige Landesverwaltungsgericht. Die Zuständigkeit des Bundes- oder Landesverwaltungsgerichts kann auch im (jeweiligen einfachen) Gesetz festgelegt sein; dann gilt dies.

Einzubringen ist die Beschwerde bei jener Behörde, die den erstinstanzlichen Bescheid erlassen hat. Welches Landesverwaltungsgericht zuständig ist, richtet sich nach dem Sitz der Behörde, die den Bescheid erlassen hat bzw. im Fall einer Säumnisbeschwerde (d.h. eine Beschwerde wegen Verletzung der Entscheidungspflicht durch eine Verwaltungsbehörde) nach dem Sitz der Behörde, die den Bescheid zu erlassen hätte.

Die Beschwerde ist **schriftlich** einzubringen.

Die **Frist** für die Erhebung der Beschwerde beträgt **vier Wochen** ab Zustellung der schriftlichen Ausfertigung des Bescheides, im Fall der bloß mündlichen Verkündung des Bescheides mit dieser.[249] Eine Säumnisbeschwerde[250] kann grundsätzlich erst nach Ablauf von sechs Monaten (bzw. einer abweichenden gesetzlichen Entscheidungsfrist) erhoben werden.[251]

Die erstinstanzliche Behörde hat die Möglichkeit, die Beschwerde durch eine **Beschwerdevorentscheidung**[252] zu erledigen. Für die Erlassung einer Beschwerdevorentscheidung steht der Behörde eine Frist von zwei Monaten offen. Gegen die Beschwerdevorentscheidung kann binnen zwei Wochen nach Zustellung bei der Behörde, die diese erlassen hat, der Antrag gestellt werden, dass die Beschwerde dem Verwaltungsgericht zur Entscheidung vorgelegt wird (Vorlageantrag[253]).

---

[249] § 7 Abs 4 VwGVG.
[250] Anmerkung des Autors: Wegen Verletzung der Entscheidungspflicht kann eine Säumnisbeschwerde erhoben werden. Berechtigt zur Beschwerde ist, wer im Verwaltungsverfahren als Partei zu Geltendmachung der Entscheidungspflicht berechtigt zu sein behauptet.
[251] § 8 VwGVG.
[252] § 14 VwGVG.
[253] § 15 VwGVG.

Das Verwaltungsgericht führt in der Regel eine öffentliche mündliche Verhandlung[254] durch. Das Beschwerdeverfahren endet mit einem **Erkenntnis**[255] in der Sache, sofern die Beschwerde nicht zurückzuweisen oder das Verfahren einzustellen ist. Aufgrund einer von der Beschuldigten/dem Beschuldigten oder aufgrund einer zu ihren/seinen Gunsten erhobenen Beschwerde darf im Erkenntnis (wie auch in der Beschwerdevorentscheidung) keine höhere Strafe verhängt werden als im angefochtenen Bescheid."[256]

b) Revision beim Verwaltungsgerichtshof (VwGH) und/oder Beschwerde beim Verfassungsgerichtshof (VfGH)

„Gegen ein Erkenntnis oder einen Beschluss des Verwaltungsgerichts kann **binnen sechs Wochen Revision** bzw. **Beschwerde** bei folgenden Stellen erhoben werden:

Gegen ein Erkenntnis oder einen Beschluss des Verwaltungsgerichts kann **binnen sechs Wochen Revision**[257] beim Verwaltungsgerichtshof (VwGH) [258] wegen Rechtswidrigkeit erhoben werden. ...

Außerdem muss eine der folgenden Voraussetzungen vorliegen:

- In der Verwaltungsvorschrift ist eine Geldstrafe von mehr als 750 Euro angedroht.
- In der Verwaltungsvorschrift ist eine Freiheitsstrafe angedroht.
- Im Erkenntnis wurde eine Geldstrafe von mehr als 400 Euro verhängt.

---

[254] § 24 VwGVG.
[255] § 28 VwGVG.
[256] Bundesministerium für Digitalisierung und Wirtschaftsstandort, https://www.oesterreich.gv.at/themen/dokumente_und_recht/verwaltungsstrafrecht/Seite.1020200.html (abgerufen am 04.03.2021).
[257] Anmerkung des Autors: Die Revision ist zulässig, wenn sie von der Lösung einer Rechtsfrage abhängt, der grundsätzliche Bedeutung zukommt, vor allem weil das Erkenntnis von der Rechtsprechung des VwGH abweicht, eine solche Rechtsprechung fehlt oder die zu lösende Rechtsfrage in der bisherigen Rechtsprechung des VwGH nicht einheitlich beantwortet wird.
[258] Verwaltungsgerichtshof der Republik Österreich, https://www.vwgh.gv.at/ (abgerufen am 04.03.2021).

Innerhalb von sechs Wochen kann aber auch **Beschwerde** beim Verfassungsgerichtshof (VfGH)[259] erhoben werden, insbesondere wegen Verletzung eines
verfassungsgesetzlich gewährleisteten Rechtes oder wegen Anwendung eines
verfassungswidrigen Gesetzes oder einer gesetzwidrigen Verordnung."[260]

2.4.5 Verwaltungsstrafen im ArbeitnehmerInnenschutz

Die Geschichte der Arbeitsinspektion, sowie die Zuständigkeit, der Wirkungsbereich
und die Aufgaben der Behörde Arbeitsinspektion wurden bereits in den Kapiteln 2.1.1
und 2.1.2 behandelt. Da die Arbeitsinspektion für die Überwachung der Einhaltung
von Rechtsvorschriften und bei Verstoß gegen diese auch für die verpflichtende
Erstattung von Anzeigen zuständig ist, wird in diesem Kapitel auf jene Bereiche in
denen Übertretungen im ArbeitnehmerInnenschutz erfasst werden, sowie auf die
Vorgehensweisen der Arbeitsinspektion bei der Feststellung einer Übertretung und
bei Nichtbehebung einer festgestellten Übertretung eingegangen.

2.4.5.1 Bereiche der Übertretung im ArbeitnehmerInnenschutz

In den Arbeitsinspektoraten werden Übertretungen im ArbeitnehmerInnenschutz in nachstehenden Bereichen erfasst:

- o Übertretungen des Verwendungsschutzes
- o Übertretungen des technisch-arbeitshygienischen Arbeitsschutzes
- o Übertretungen des Arbeitsinspektionsgesetzes

a) Übertretungen des Verwendungsschutzes

Bei den Übertretungen des Verwendungsschutzes werden Übertretungen der nachstehenden Gesetze bzw. Verordnungen erfasst:

- Arbeitszeitgesetz - AZG, BGBl. Nr. 461/1969

- Arbeitsruhegesetz - ARG, BGBl. Nr. 144/1983

- Arbeitsruhegesetz-Verordnung - ARG-VO, BGBl. Nr. 149/1984

---

[259] Verfassungsgerichtshof der Republik Österreich, https://www.vfgh.gv.at/index.de.html (abgerufen
am 04.03.2021).
[260] Bundesministerium für Digitalisierung und Wirtschaftsstandort,
https://www.oesterreich.gv.at/themen/dokumente_und_recht/verwaltungsstrafrecht/Seite.1020200.html
(abgerufen am 04.03.2021).

- Krankenanstalten-Arbeitszeitgesetz - KA-AZG, BGBl. I Nr. 8/1997
- Verordnung (EG) Nr. 561/2006 über die Harmonisierung bestimmter Sozialvorschriften im Straßenverkehr, Abl. Nr. L 102 v. 11.4.2006
- Verordnung (EU) Nr. 165/2014 über Fahrtenschreiber im Straßenverkehr, Abl. Nr. L 60/1 v. 28.02.2014
- Lenkprotokoll-Verordnung - LP-VO, BGBl. II Nr. 313/2017
- Lenker/innen-Ausnahmeverordnung - L-AVO, BGBl. II Nr. 10/2010
- Bundesgesetz über die Beschäftigung von Kindern und Jugendlichen 1987 - KJBG, BGBl. Nr. 599/1987
- Verordnung über die Beschäftigungsverbote und -beschränkungen für Jugendliche - KJBG-VO, BGBl. II Nr. 436/1998
- Wochenberichtsblatt-Verordnung, BGBl. Nr. 420/1987
- Mutterschutzverordnung - MSchV , BGBl. II Nr. 310/2017
- Mutterschutzgesetz 1979 - MSchG, BGBl. Nr. 221/1979
- Bäckereiarbeiter/innengesetz 1996 - BäckAG 1996, BGBl. Nr. 410/1996
- Heimarbeitsgesetz 1960, BGBl. Nr. 105/1961
- Verordnung mit der die Verwendung von gefährlichen Stoffen oder Zubereitungen in Heimarbeit verboten wird, BGBl. Nr. 178/1983

b) Übertretungen des technisch-arbeitshygienischen Arbeitsschutzes

Bei den Übertretungen des technischen-arbeitshygienischen Arbeitsschutzes werden Übertretungen der nachstehenden Gesetze bzw. Verordnungen erfasst:

- ArbeitnehmerInnenschutzgesetz - ASchG, BGBl. Nr. 450/1994
- Allgemeine Arbeitnehmerschutzverordnung - AAV, BGBl. Nr. 218/1983
- Verordnung über die Betriebsbewilligung nach dem Arbeitnehmerschutzgesetz, BGBl. Nr. 116/1976
- Verordnung über die Sicherheits- und Gesundheitsschutzdokumente - DOK-VO, BGBl. Nr. 478/1996
- Arbeitsstättenverordnung - AStV, BGBl. II Nr. 368/1998

- Kennzeichnungsverordnung - KennV, BGBl. II Nr. 101/1997
- Aerosolpackungslagerungsverordnung, BGBl. II Nr. 347/2018
- Arbeitsmittelverordnung - AM-VO, BGBl. II Nr. 164/2000
- Elektroschutzverordnung 2012 - ESV 2012, BGBl. II Nr. 33/2012
- Nadelstichverordnung - NastV, BGBl. II Nr. 16/2013
- Grenzwerteverordnung 2018 - GKV 2018, BGBl. II Nr. 253/2001
- Verordnung biologische Arbeitsstoffe - VbA, BGBl. II Nr. 237/1998
- Verordnung explosionsfähige Atmosphären - VEXAT, BGBl. II Nr. 309/2004
- Verordnung über die Gesundheitsüberwachung am Arbeitsplatz - VGÜ 2017, BGBl. II Nr. 27/1997
- Bildschirmarbeitsverordnung - BS-V, BGBl. II Nr. 124/1998
- Fachkenntnisnachweis-Verordnung - FK-V, BGBl. II Nr. 13/2007
- Bühnen-Fachkenntnisse-Verordnung - Bühnen-FK-V, BGBl. II Nr. 403/2003
- Sprengarbeitenverordnung - SprengV, BGBl. II Nr. 358/2004
- Tagbauarbeitenverordnung - TAV, BGBl. II Nr. 416/2010
- Bohrarbeitenverordnung - BohrarbV, BGBl. II Nr. 140/2005
- Verordnung elektromagnetische Felder - VEMF, BGBl. II Nr. 179/2016
- Verordnung Lärm und Vibrationen - VOLV, BGBl. II Nr. 22/2006
- Verordnung optische Strahlung - VOPST, BGBl. II Nr. 221/2010
- Verordnung Persönliche Schutzausrüstung – PSA-V, BGBl. II Nr. 77/2014
- Verordnung Fachausbildung der Sicherheitsfachkräfte - SFK-VO, BGBl. Nr. 277/1995
- Verordnung über die Sicherheitsvertrauenspersonen - SVP-VO, BGBl. Nr. 172/1996
- Verordnung über sicherheitstechnische Zentren - STZ-VO, BGBl. II Nr. 450/1998
- Verordnung über arbeitsmedizinische Zentren - AMZ-VO, BGBl. Nr. 441/1996
- Bauarbeiterschutzverordnung - BauV, BGBl. Nr. 340/1994

- Bauarbeitenkoordinationsgesetz - BauKG, BGBl. I Nr. 37/1999
- Baustellendatenbank-Verordnung, BGBl. II Nr. 86/2012
- Flüssiggas-Verordnung 2002 - FGV, BGBl. II Nr. 446/2002
- Flüssiggas-Tankstellen-Verordnung 2010 - FGTV 2010, BGBl. II Nr. 247/2010
- Verordnung über brennbare Flüssigkeiten - VbF, BGBl. Nr. 240/1991
- Kälteanlagenverordnung, BGBl. Nr. 305/1969
- Druckluft- und Taucherarbeiten-Verordnung, BGBl. Nr. 501/1973
- Allgemeine Bergpolizeiverordnung, BGBl. Nr. 114/1959
- Bergpolizeiverordnung für die Seilfahrt, BGBl. Nr. 14/1968

c) Übertretungen des Arbeitsinspektionsgesetzes

Bei den Übertretungen des Arbeitsinspektionsgesetzes werden Übertretungen des Arbeitsinspektionsgesetzes 1993 - ArbIG, BGBl. Nr. 27/1993 erfasst.

2.4.5.2 Vorgehensweise der Arbeitsinspektion bei der Feststellung einer Übertretung

a) Stellen Organe der Arbeitsinspektion bei ihrer Besichtigung von Betriebsstätten bzw. Arbeitsstellen[261] Übertretungen fest, so haben diese zunächst den Arbeitgeber bzw. die Arbeitgeberin zu beraten[262] und formlos schriftlich aufzufordern[263], unter Setzung einer angemessenen Frist den rechtmäßigen Zustand herzustellen. Die Frist richtet sich nach der technischen und organisatorischen Machbarkeit der geforderten Maßnahme wobei das Ausmaß der Gefährdung und die Folgen der Übertretung für die Frist nicht von Bedeutung sind. Weiters wird in diesem Schreiben ein Termin, d.h. eine Frist, festgelegt, bis zu dem eine Rückmeldung über die Durchführung der geforderten Maßnahmen bzw. über den Stand der Durchführung an das Arbeitsinspektorat zu erfolgen

---

[261] § 4 Abs 1 ArbIG, BGBl. Nr. 27/1993 idgF.
[262] § 9 Abs 1 ArbIG, BGBl. Nr. 27/1993 idgF.
[263] Anmerkung des Autors: Nach den Bestimmungen des ArbIG ist nicht die nachweisliche Zustellung erforderlich, sondern eine formlose schriftliche Aufforderung (siehe UVS Niederösterreich 2013/01/29 Senat-ME-12-0189).

hat. Eine Kopie der Aufforderung ist dem Betriebsrat bzw. bei Nicht-bestehen eines solchen der Sicherheitsvertrauensperson zur Kenntnis zu übermitteln.[264]

Bei schwerwiegenden Übertretungen hat die vorherige Aufforderung zu unterbleiben und es ist sofort Anzeige zu erstatten.[265] Es sei an dieser Stelle gestattet darauf hinzuweisen, dass die Nichteinhaltung von Arbeitnehmerschutzvorschriften auch Auswirkungen in anderen Be-reichen des Verwaltungsrechtes, beispielhaft wird das Gewerberecht angeführt, bedeutsam sein kann. So ist seitens der Gewerbebehörde die Gewerbeberechtigung dann zu entziehen, wenn der Gewerbeinhaber die im Zusammenhang mit dem betreffenden Gewerbe zu beachtenden Rechtsvorschriften und Schutzinteressen, insbesondere auch zur Wah-rung des Ansehens des Berufsstandes, die für die Ausübung dieses Gewerbes erforderliche Zuverlässigkeit nicht mehr besitzt.[266]

b) Erfolgt eine rechtzeitige positive Rückmeldung, so wird im Regelfall davon ausgegangen, dass der gesetzliche Zustand hergestellt wurde und wird von einer Nachkontrolle abgesehen.

c) Erfolgt die Rückmeldung, dass die Frist nicht eingehalten werden kann, so wird mit den Verantwortlichen Kontakt aufgenommen und kann die Frist erstreckt[267], sowie ein neuer Termin für die Rückmeldung verein-bart werden.

d) Erfolgt keine zeitgerechte Rückmeldung, so wird vom Arbeitgeber bzw. der Arbeitgeberin, unter Setzung einer Frist, schriftlich die Auskunft verlangt, welche Maßnahmen bereits gesetzt wurden.[268]

e) In manchen Arbeitsinspektoraten, so z.B. im Arbeitsinspektorat NÖ Mostviertel, wird der Arbeitgeber bzw. die Arbeitgeberin bei einer neuer-

---

[264] § 9 Abs 1 ArbIG, BGBl. Nr. 27/1993 idgF.
[265] § 9 Abs 3 ArbIG, BGBl. Nr. 27/1993 idgF.
[266] § 87 Abs 1 Z 3 Gewerbeordnung 1994 (GewO 1994) idgF.
[267] § 9 Abs 2 ArbIG, BGBl. Nr. 27/1993 idgF.
[268] § 7 Abs 2 ArbIG, BGBl. Nr. 27/1993 idgF.

lichen Nichtrückmeldung mit einem Schreiben, diesmal mit RSb-Brief, unter Setzung eines neuen Termins, erneut zur Rückmeldung aufgefordert. [269]

f) Erfolgt erneut keine Rückmeldung so erfolgt in manchen Arbeitsinspektoraten, so z.b. im Arbeitsinspektorat NÖ Mostviertel, eine Strafanzeige wegen nicht erfolgter Rückmeldung. [270]

2.4.5.3 Vorgehensweise der Arbeitsinspektion bei der Nichthebung einer festgestellten Übertretung

Erfolgte nach der erfolgten schriftlichen Aufforderung seitens des Arbeitgebers bzw. der Arbeitgeberin keine schriftliche Rückmeldung an das Arbeitsinspektorat und wurde vom Organ der Arbeitsinspektion bei einer neuerlichen Besichtigung festgestellt, dass die erstmals bereits festgestellten Übertretungen nicht behoben wurden, d.h. noch immer besteht, so ist das Arbeitsinspektorat verpflichtet Anzeige an die zuständige Verwaltungsstrafbehörde zu erstatten. [271]

a) Parteistellung

Grundsätzlich ist die Wichtigkeit des ArbeitnehmerInnenschutzes darin ersichtlich, dass der Arbeitsinspektion in allen den arbeitnehmerschutzberührenden Verwaltungsverfahren[272] und Verwaltungsstrafverfahren[273] Parteistellung zukommt. So kann das Arbeitsinspektorat die Höhe der Verwaltungsstrafe beantragen, und hat auch ein Berufungsrecht, wenn die Strafbehörde eine geringere als die beantragte Strafe verhängt oder die Behörde gar das Strafverfahren einstellt. [274]

Die Wertigkeit des ArbeitnehmerInnenschutzes ist auch darin ersichtlich, dass der Gesetzgeber dem Bundesminister für Arbeit, Soziales und Konsumentenschutz bei Verfahren in Verwaltungsstrafsachen und

---

[269] § 7 Abs 2 ArbIG, BGBl. Nr. 27/1993 idgF.
[270] Anmerkung des Autors: Verletzung der Rechtsvorschrift § 7 Abs 5 i.V.m. § 24 Abs 1 Z 3 ArbIG, BGBl. Nr. 27/1993 idgF.
[271] § 9 Abs 2 ArbIG, BGBl. Nr. 27/1993 idgF.
[272] § 12 Abs 1 ArbIG, BGBl. Nr. 27/1993 idgF.
[273] § 11 Abs 1 ArbIG, BGBl. Nr. 27/1993 idgF.
[274] § 11 Abs 2 ArbIG, BGBl. Nr. 27/1993 idgF.

bei Verwaltungsverfahren das Recht einräumt, gegen Erkenntnisse und Beschlüsse Revision beim Verwaltungsgerichtshof zu erheben.[275]

b) Grundsatz „Beraten statt Strafen"

Mit 1. Jänner 2019 kam es zu einer Änderung des VStG demnach die Verwaltungsstrafbehörde bei geringfügigen Verwaltungsübertretungen, dies natürlich nur unter bestimmten Voraussetzungen, zunächst keine Verwaltungsstrafe verhängen, sondern nur beratend tätig werden soll.[276]

„Stellt die Behörde eine geringfügige Verwaltungsübertretung fest, muss sie die Beschuldigte/den Beschuldigten zunächst beraten und sie/ihn schriftlich auffordern, innerhalb einer angemessenen Frist den gesetzeskonformen Zustand herzustellen. Im Zuge der Aufforderung muss sie auch den festgestellten Sachverhalt angeben. Mit der Beratung verfolgt sie das Ziel, das strafbare Verhalten oder die strafbare Tätigkeit möglichst wirksam zu beenden."[277]

Auch das Bundesministerium für Arbeit, Soziales, Gesundheit und Konsumentenschutz trug dieser Thematik mit dem externen Erlass vom 22. August 2018, Zahl: BMASGK-460.404/0002-VII/A/3/2018 (siehe Abbildung 6) Rechnung.

---

[275] § 13 ArbIG, BGBl. Nr. 27/1993 idgF.
[276] § 33a VStG.
[277] Bundesministerium für Digitalisierung und Wirtschaftsstandort, https://www.oesterreich.gv.at/themen/dokumente_und_recht/verwaltungsstrafrecht/Seite.1020500.html (abgerufen am 04.03.2021).

Zahl:	BMASGK-460.404/0002-VII/A/3/2018	EXTERN
Datum:	22.08.2018	
Bearbeiter/in:		

Betreff: VStG Novelle: Beraten statt Strafen und Unschuldsvermutung

VStG-33a	VStG-5

Abbildung 6: Kopf des Erlasses Beraten statt Strafen
Quelle: Bundesministerium für Arbeit, Soziales, Gesundheit und Konsumentenschutz.

Laut diesem Erlass kommt der Grundsatz „Beraten statt Strafen" jedoch durch die Verwaltungsbehörde bei den von den Arbeitsinspektoraten angezeigten Übertretungen nicht zur Anwendung, da alle drei im § 33a VStG angeführten Voraussetzungen kumulativ gegeben sein müssen (siehe Abbildung 7).

Bei den von den Arbeitsinspektoraten angezeigten Übertretungen ist auszuschließen, dass alle drei in § 33a VStG genannten Voraussetzungen vorliegen:

1. Die Bedeutung des strafrechtlich geschützten Rechtsgutes ist im Regelfall nicht gering, weil es sich bei dem durch die Arbeitnehmerschutzvorschriften geschützten Rechtsgut fast immer um das Rechtsgut „Leben, Sicherheit und Gesundheit von Menschen" handelt.

2. Bei Strafanzeigen nach § 9 Abs. 3 ArbIG ist die Intensität der Beeinträchtigung des Rechtsgutes durch die Tat nicht gering, weil hier eine schwerwiegende Übertretung angezeigt wird.

3. Bei Strafanzeigen nach § 9 Abs. 2 ArbIG ist das Verschulden nicht gering, weil diese Strafanzeigen erhoben werden, wenn einer Aufforderung nach § 9 Abs. 1 innerhalb der vom Arbeitsinspektorat festgelegten oder erstreckten Frist nicht entsprochen wurde. Nach der Rechtsprechung des VwGH (95/02/0605 vom 29. März 1996) muss von bedingtem Vorsatz ausgegangen werden, wenn ein Arbeitgeber bereits aufgefordert wurde, den gesetzlichen Zustand herzustellen und dieser Aufforderung nicht nachgekommen ist. Vorsatz schließt geringes Verschulden aus!

Daraus folgt, dass bei den von den Arbeitsinspektoraten angezeigten Übertretungen immer mindestens eine (meistens aber zwei) der drei in § 33a VStG genannten Voraussetzungen nicht zutrifft und daher „Beraten statt Strafen" durch die Verwaltungsstrafbehörde gemäß § 33a VStG bei Strafanzeigen durch die Arbeitsinspektion nicht zur Anwendung kommt.

Abbildung 7: Text des Erlasses Beraten statt Strafen
Quelle: Bundesministerium für Arbeit, Soziales, Gesundheit und Konsumentenschutz.

Um Missverständnisse und Konflikte, „... welche zuvor mit dem zuständigen Arbeits-inspektorat nicht zufriedenstellend gelöst werden konnten ..."[278] einer Lösung zuzu-führen, wurde unter dem damaligen Bundesminister Alois Stöger[279] mit 1. März 2017 eine Ombudsstelle der Arbeitsinspektion konstituiert. Diese Ombudsstelle trägt oftmals wesentlich dazu bei um bereits im Vorfeld Situationen so weit zu befrieden, dass von einer Erstattung einer Strafanzeige Abstand genommen werden kann und somit die Organisation Arbeitsinspektion bereits vor der Änderung des VStG im Jahre 2019 kundenorientiert, getreu des Grundsatzes „Beraten statt Strafen", handelte.

> c) In Rechtskraft erwachsene Bescheide zu Strafanzeigen des Jahres 2017 - geordnet nach Wirtschaftsgruppen
>
> In den Tabellen 6 bis 8 erfolgt eine Auflistung der in Rechtskraft erwachsenen Bescheide, bezogen auf die Bereiche „Verwendungs-schutz", „Technik und Arbeitshygiene" und „Arbeitsinspektionsgesetz", geordnet nach Wirtschaftsgruppen, der Strafanzeigen gemäß § 9 ArbIG des Jahres 2017 zugrunde liegen.

8 Arbeitgeber bzw. Arbeitgeberinnen kamen den Aufforderungen der Arbeitsinspek-tion auf Behebung festgestellter Übertretungen[280] nicht nach und bei 21 Arbeitgebern bzw. Arbeitgeberinnen wurden so schwerwiegende Übertretungen festgestellt, dass die vorherige Aufforderung zu unterbleiben hatte, sodass im Bereich „Verwendungs-schutz" 29 Anzeigen an die zuständigen Bezirksverwaltungsbehörden erstattet wurden.

Die Verwaltungsbehörden folgten in 27 Verwaltungsstrafverfahren, dies sind 93,10 %, der Rechtsansicht des Arbeitsinspektorats und erwuchsen die entsprechenden Bescheide in Rechtskraft (siehe Tabelle 6).

---

[278] Bundesministerium für Arbeit, Sektion Arbeitsrecht und Zentral-Arbeitsinspektorat, https://www.arbeitsinspektion.gv.at/Kontakt/Ombudsstelle/Ombudsstelle_der_Arbeitsinspektion.html (abgerufen am 04.03.2021).
[279] Anmerkung des Autors: Alois Stöger, diplômé, geb. am 3. September 1960, Bundesminister für Arbeit, Soziales und Konsumentenschutz von 26. Jänner 2016 bis 18. Dezember 2017, Republik Österreich, Parlamentsdirektion, https://www.parlament.gv.at/WWER/PAD_52687/index.shtml (abgerufen am 04.03.2021).
[280] Anmerkung des Autors: siehe Punkt a) im Kapitel 2.4.5.2.

WKL	Bezeichnung	Bescheide
1000	Herstellung von Nahrungs- und Futtermitteln	1
1620	Herstellung von sonstigen Holz-, Kork-, Flecht- und Korbwaren (ohne Möbel)	1
4310	Abbrucharbeiten und vorbereitende Baustellenarbeiten	1
4321	Elektroinstallation	2
4391	Dachdeckerei und Zimmerei	1
4600	Großhandel (ohne Handel mit Kraftfahrzeugen)	1
4940	Güterbeförderung im Straßenverkehr, Umzugstransporte	6
5200	Lagerei sowie Erbringung von sonstigen Dienstleistungen für den Verkehr	1
5600	Gastronomie	12
9300	Erbringung von Dienstleistungen des Sports, der Unterhaltung und der Erholung	1

Tabelle 6: Anzahl der in Rechtskraft erwachsenen Bescheide im Bereich „Verwendungsschutz" geordnet nach Wirtschaftsgruppen
Quelle: eigene Darstellung.

21 Arbeitgeber bzw. Arbeitgeberinnen kamen den Aufforderungen der Arbeitsinspektion auf Behebung festgestellter Übertretungen[281] nicht nach und bei 14 Arbeitgebern bzw. Arbeitgeberinnen wurden so schwerwiegende Übertretungen festgestellt, dass die vorherige Aufforderung zu unterbleiben hatte, sodass im Bereich „Technik und Arbeitshygiene" 35 Anzeigen an die zuständigen Bezirksverwaltungsbehörden erstattet wurden.

Die Verwaltungsbehörden folgten in 32 Verwaltungsstrafverfahren, dies sind 91,43 %, der Rechtsansicht des Arbeitsinspektorats und erwuchsen die entsprechenden Bescheide in Rechtskraft (siehe Tabelle 7).

---

[281] Anmerkung des Autors: siehe Punkt a) im Kapitel 2.4.5.2.

WKL	Bezeichnung	Bescheide
1000	Herstellung von Nahrungs- und Futtermitteln	2
1620	Herstellung von sonstigen Holz-, Kork-, Flecht- und Korbwaren (ohne Möbel)	1
2800	Maschinenbau	2
3800	Sammlung, Behandlung und Beseitigung von Abfällen; Rückgewinnung	2
4100	Hochbau	3
4391	Dachdeckerei und Zimmerei	2
4520	Instandhaltung und Reparatur von Kraftwagen	1
4701	Einzelhandel (ohne Handel mit Kraftfahrzeugen) ohne Tankstellen, Apotheken, Einzelhandel an Verkaufsständen und auf Märkten	3
5600	Gastronomie	16

Tabelle 7: Anzahl der in Rechtskraft erwachsenen Bescheide im Bereich „Technik und Arbeitshygiene" geordnet nach Wirtschaftsgruppen Quelle: eigene Darstellung.

Das Arbeitsinspektorat verlangte schriftlich von 64 Arbeitgebern bzw. Arbeitgeberinnen gemäß § 7 Abs. 2 ArbIG[282] Auskunft. 12 der 64 Arbeitgeber bzw. Arbeitgeberinnen, dies entspricht einem Anteil von 18,75 %, kamen diesem Ersuchen nicht nach und wurde daher vom Arbeitsinspektorat Anzeige an die zuständige Bezirksverwaltungsbehörde erstattet.

---

[282] Anmerkung des Autors: siehe Punkt e) im Kapitel 2.4.5.2.

Die Verwaltungsstrafbehörden folgten in 11 Anzeigen, dies sind 91,67 %, dem Arbeitsinspektorat und erwuchsen die entsprechenden Bescheide in Rechtskraft (siehe Tabelle 8).

WKL	Bezeichnung	Bescheide
1000	Herstellung von Nahrungs- und Futtermitteln	1
2800	Maschinenbau	1
4391	Dachdeckerei und Zimmerei	1
4701	Einzelhandel (ohne Handel mit Kraftfahrzeugen) ohne Tankstellen, Apotheken, Einzelhandel an Verkaufsständen und auf Märkten	1
4730	Einzelhandel mit Motorenkraftstoffen (Tankstellen)	1
5600	Gastronomie	5
8120	Reinigung von Gebäuden, Straßen und Verkehrsmitteln	1

Tabelle 8: Anzahl der in Rechtskraft erwachsenen Bescheide im Bereich „Arbeitsinspektionsgesetz" geordnet nach Wirtschaftsgruppen
Quelle: eigene Darstellung.

3. Thematische Zusammenführung der Interviews

Die in den folgenden Kapiteln 3.1 bis 3.3 entsprechenden Themen werden unter Berücksichtigung der Interviews betrachtet. Der Autor fasste jene Antworten zu den Fragen im Kapitel 3.1 inhaltlich zusammen, die sich mit den Organen der Arbeitsinspektion befassen, wobei darauf eingegangen wird, ob diese als geschätzte Ansprechpersonen bzw. gute Kommunikatoren wahrgenommen werden und, ob bei diesen, ob ihres Verhaltens, das Vorhandensein ethischer Werte erkannt wird. Das Kapitel 3.2 befasst sich mit den Schreiben der Arbeitsinspektion und den Strafen, wobei auf eine durch diese etwaige erfolgte Verhaltens- bzw. Einstellungsänderung in Bezug auf die Behörde Arbeitsinspektion Bezug genommen wird. Im Kapitel 3.3 erfolgt die inhaltliche Zusammenführung der Antworten zu den Fragen, ob die Strafverfahren zu einer Einstellungs- bzw. Verhaltensänderung in Bezug auf die ArbeitnehmerInnenschutzvorschriften bzw. den ArbeitnehmerInnenschutz führten.

3.1 Organ der Arbeitsinspektion – Geschätzte Ansprechperson? Guter Kommunikator? Ethische Werte vorhanden?

Die für eine Organisation wohl wichtigste Frage ist die, ob ihre Mitarbeiterinnen bzw. Mitarbeiter ihre Aufgaben, für die sie beschäftigt werden, gut vermitteln können. So ist es auch der Behörde Arbeitsinspektion wichtig, dass ihre Mitarbeiterinnen bzw. Mitarbeiter so kommunizieren, dass das jeweilige Gegenüber ausreichend über die Folgen bescheid weiß, wenn ArbeitnehmerInnenschutzvorschriften nicht eingehalten werden. In diesem Zusammenhang ist es wichtig festzustellen, dass 71 % der Befragten mit der Vorgehensweise der Organe der Arbeitsinspektion zufrieden waren und erfuhr dies durch Aussagen wie „… die Beratung war klar und verständlich. Die Fragen wurden beantwortet und es blieb keine Frage unbeantwortet."[283] oder „Die Erklärung war ausreichend. Das Verfahren war eher die Katastrophe[284] …".[285] eine Bestätigung. Es gaben jedoch 22,6 % der Befragten an mit der vor Ort erfolgten Beratung der Organe der Arbeitsinspektion nicht zufrieden gewesen zu sein. Unter anderem gab ein Interviewter an, dass erst ein halbes Jahr nach einem Unfall eine Erhebung in seinem Betrieb durch einen Arbeitsinspektor erfolgt sei. Der Arbeits-

---

[283] AGTAschwer 3 (2021).
[284] Anmerkung des Autors: Mit der Formulierung, dass das Verfahren eine Katastrophe gewesen sei, meinte der Interviewte das von der Bezirksverwaltungsbehörde geführte Verwaltungsstrafverfahren.
[285] AGTAschwer 9 (2021).

inspektor habe, ohne ihn beraten bzw. ohne ihn über die weitere Vorgehensweise informiert zu haben, Strafanzeige erstattet. Dies habe der Befragte nicht verstanden, da er jenen Mangel der zum Unfall geführt hatte unverzüglich behoben habe.[286] Ein anderer Interviewpartner führte aus „… Daten einfach herunterladen, auswerten und nichts sagen – das ist zuwenig. Ich habe aber damals auf den Beratungsauftrag im Arbeitsinspektionsgesetz hingewiesen."[287] Ein anderer Befragter verlieh seiner Enttäuschung Ausdruck und führte aus, dass ihn der Arbeitsinspektor nicht informiert habe „ … dass eine Anzeige kommen wird und er hat uns auch nicht auf das weitere Prozedere hingewiesen."[288] Ein Interviewpartner mit Migrationshintergrund verwies im Interview auf seine schlechten Deutschkenntnisse und führte aus, dass ihn der Arbeitsinspektor „ … die Vorgehensweise nicht eindeutig erklärt habe bzw. nicht so erklärt habe, dass ich die Konsequenzen verstand."[289] 6,4 % der Interviewten konnten sich an das damalige Geschehen, d.h. die Vorgehensweise der Organe der Arbeitsinspektion nicht mehr erinnern (siehe Abbildung 8).

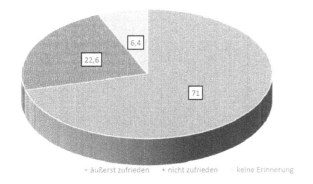

Abbildung 8: Zufriedenheit mit Vorgehensweise der Organe der Arbeitsinspektion, Quelle: eigene Darstellung.

[286] Vgl. AGTAschwer 7 (2021).
[287] AGVSschwer 7 (2021).
[288] AGArbIG 3 (2021).
[289] AGArbIG 1 (2021).

Da die Arbeitsinspektion *die* ArbeitnehmerInnenschutzbehörde in Österreich ist, ist es auch wichtig zu erfahren, ob die Organe der Arbeitsinspektion als Ansprechpersonen für die Interessen im ArbeitnehmerInnenschutz gesehen werden. 61,3 % der Interviewten wenden sich bei Anliegen im ArbeitnehmerInnenschutz an die Organe der Arbeitsinspektion. 22,6 % der Befragten geben jedoch an sich bei Fragen des ArbeitnehmerInnenschutzes an die Präventivkräfte der AUVA zu wenden. Unter anderem gibt ein Interviewter an zuerst die AUVA anzurufen, da er „... nicht wegen jeder Frage das Arbeitsinspektorat belasten ..."[290] will und ein anderer verweist darauf, dass er ja bei der Arbeitsinspektion keine bestimmte Ansprechperson habe. Er würde sein Verhalten ändern, hätte er eine bestimme Ansprechperson.[291] 16,1 % der Interviewten ziehen für Auskünfte ihre jeweiligen internen Präventivkräfte heran, mit denen manche aufgrund der intensiven Zusammenarbeit bereits freundschaftlich verbunden sind[292] bzw. verweisen auf eine intensive Partnerschaft mit externen Präventivkräften, die auch die Überprüfung der diversen Arbeitsmittel übernehmen[293] (siehe Abbildung 9).

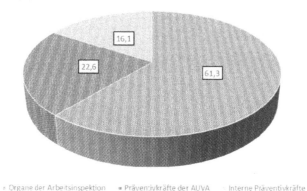

Abbildung 9: Ansprechpartner bei ArbeitnehmerInnenschutzfragen
Quelle: eigene Darstellung.

---

[290] AGVSeinf 4 (2021).
[291] Vgl. AGVSschwer 5 (2021).
[292] Vgl. AGTAschwer 11 (2021).
[293] Vgl. AGVSschwer 4 (2021).

Da Arbeitgeberinnen bzw. Arbeitgeber verpflichtet sind Sicherheitsfachkräfte[294] und Arbeitsmediziner[295] zu bestellen, dieser Verpflichtung können Arbeitgeber mit bis zu 50 Arbeitnehmer durch die Betrauung eines Präventionszentrums der Allgemeinen Unfallversicherungsanstalt (AUVA) nachkommen[296], und immerhin 38,7 % der Interviewten angaben bei ArbeitnehmerInnenschutzauskünften eher ihre Präventivkräfte für Informationszwecke heranzuziehen, bestand Erkenntnisinteresse darin ob die Befragten Schreiben des Arbeitsinspektorates gemäß § 9 Abs. 1 ArbIG bzw. gemäß § 7 Abs. 2 ArbIG auch mit ihren Präventivdiensten besprachen.

Nur 22,2 % der Interviewten gaben an die diversen Schreiben des Arbeitsinspektorates mit den Präventivdiensten besprochen zu haben. Zur großen Überraschung des Autors konnte jedoch kein Interviewter begründen, warum er diese Schreiben den Präventivdiensten zeigte. Und auch von jenen 77,8 % die angaben die Schreiben nicht mit den Präventivdiensten besprochen zu haben, konnte diesen Umstand kein einziger Interviewter begründen (siehe Abbildung 10).

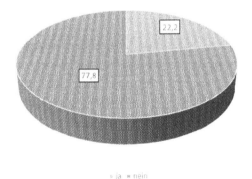

Abbildung 10: Besprechung von Schreiben des Arbeitsinspektorates mit Präventivkräften
Quelle: eigene Darstellung.

---

[294] Vgl. § 73 Abs. 1 ASchG, BGBl. Nr. 450/1994 idgF.
[295] Vgl. § 79 Abs. 1 ASchG, BGBl. Nr. 450/1994 idgF.
[296] Vgl. § 78a ASchG, BGBl. Nr. 450/1994 idgF.

Die Interviewpartner hatten mit den Organen der Arbeitsinspektion Kontakt und es ist ihnen daher möglich das entsprechende Auftreten bzw. Verhalten der Organe zu beurteilen bzw. zu werten. Welche Erwartungen setzen die Interviewten in das Verhalten bzw. an die zukünftige Vorgehensweise der Organe? Wichtig ist den Interviewten, z.B. dass man „... sich vernünftig unterhalten und gemeinsam einen Weg finden soll ..."[297], „... die Arbeitsinspektoren ein wenig mehr, vielleicht auch besser zuhören sollen ..."[298], „ ... der Arbeitsinspektor umgehend sagen soll was richtig ist ..."[299] und „ ... der Arbeitsinspektor nicht kommt und sagt er wäre gerade in der Nähe gewesen und wollte nur kurz herein schauen ..."[300].

Nicht unwesentlich ist den Interviewten die persönliche Einstellung der Organe der Arbeitsinspektion zu ihrer Aufgabe. So gibt ein Interviewter an, dass „ ... ich denke, dass den Arbeitsinspektoren bei ihrer Ausbildung sehr wohl ein Rüstzeug mitgegeben wird, damit diese mit dem notwendigen Anstand und Respekt ihre Aufgabe erfüllen können."[301] Zahlreiche Interviewpartner gehen offenbar nicht nur von einer entsprechenden Ausbildung aus, sondern führen explizit an, dass ihnen die Arbeitsinspektorinnen bzw. Arbeitsinspektoren als Personen mit hohem Wertebewusstsein[302] bekannt sind.

Etliche Befragte verweisen auch darauf, dass es ihnen wichtig ist, dass es sich bei den Organen der Arbeitsinspektion um Öffentlich Bedienstete handelt und sie diesen aufgrund ihrer Stellung ein besonders hohes Vertrauen entgegenbringen[303]. Ein Interviewter gab an, dass es in der heutigen Zeit sicher nicht leicht sei den ArbeitnehmerInnenschutz zu vollziehen und er davon ausgehe, dass dies nur Personen können, die eine grundsätzlich positive Einstellung zu den Menschen haben[304].

---

[297] AGVSeinf 4 (2021).
[298] AGTAschwer 3 (2021).
[299] AGTAschwer 5 (2021).
[300] AGVSchwer 4 (2021).
[301] AGTAeinf 1 (2021).
[302] Vgl. AGVSeinf 1 (2021).
[303] Vgl. AGTAschwer 1 (2021), AGTAschwer 2 (2021), AGTAschwer 11 (2021).
[304] Vgl. AGVSeinf 3 (2021).

64

3.2 Schreiben der Arbeitsinspektion und Strafen – Verhaltens- bzw. Einstellungsänderung in Bezug auf Arbeitsinspektion?

Da die diversen Schreiben (gemäß § 9 Abs. 1 ArbIG bzw. gemäß § 7 Abs. 2 ArbIG) oder diversen Strafverfahren (gemäß § 9 Abs. 2 ArbIG bzw. gemäß § 9 Abs. 3 ArbIG) des Arbeitsinspektorates an die Arbeitgeberin bzw. den Arbeitgeber keinen Selbstzweck darstellen sollen, war es einerseits wichtig zu erheben ob diese Schreiben bzw. Strafverfahren eine Reaktion bzw. Wirkung auslösen und andererseits war es wichtig zu erheben welche Reaktion bzw. Wirkung diese Schreiben bzw. Strafverfahren, im Hinblick auf die Verhaltens- bzw. Einstellungsänderung in Bezug auf die Behörde Arbeitsinspektion aber auch in Bezug auf die Schreiben dieser Behörde, entfalten.

In diesem Zusammenhang ist es wichtig an die Wurzel des Nichthandelns der Arbeitgeberin bzw. des Arbeitgebers zu gehen, nachdem diese die diversen Schreiben erhalten hatten. So gaben 66,7% der Interviewten an keine Angaben tätigen zu können warum sie den Schreiben nicht nachkamen. 11,1 % der Befragten verwiesen darauf, dass ihre Arbeitnehmerinnen bzw. Arbeitnehmer den Schriftverkehr erledigen würden. Bezeichnend hierfür ist eine Aussage eines Arbeitgebers der angibt, dass er sich nicht um alles selbst kümmern könne, denn dafür habe er seine Angestellten[305]. 22,2 % der Interviewten wussten um den gesetzlichen Beratungsauftrag der Arbeitsinspektion. So verlieh ein Arbeitgeber seiner Überraschung insofern Ausdruck, als dass er darauf hinwies in der Vergangenheit zwar auch Schreiben der Arbeitsinspektion erhalten zu haben, er diese jedoch nur als Beratungsschreiben ansah und sei bis dato noch nie so konsequent die Umsetzung von ArbeitnehmerInnenschutzvorschriften eingefordert worden.[306]

Auch wenn die jeweils zuständige Bezirksverwaltungsbehörde das Strafverfahren führt, so wird durch die Erstattung der Strafanzeige durch das Arbeitsinspektorat doch die Behörde Arbeitsinspektion mit dem Verfahren in direkten Konnex gesetzt. So lag es auf der Hand die Interviewpartner zu befragen, ob sich durch das Strafverfahren deren Einstellung zur Behörde Arbeitsinspektion verändert hat. 61,3 % der Befragten bestätigten eine Einstellungsänderung und 38,7 % konnten einer erfolgten Änderung nicht das Wort reden. Diese Frage alleine, ob durch das Strafverfahren eine Änderung

---

[305] Vgl. AGTAeinf 1 (2021).
[306] Vgl. AGArbIG 1 (2021).

der Einstellung erfolgte, greift jedoch zu kurz, da, wie es ein Befragter sarkastisch und doch treffend ausdrückte, „… sich an der Einstellung nichts geändert hat. Sie war vorher schon schlecht und ist es natürlich auch jetzt.[307]" Daher war es notwendig die Antwort zur Frage hinsichtlich der etwaigen Einstellungsänderung noch präzisierend zu hinterfragen, welche Gründe ausschlaggebend waren die zu einer Änderung bzw. zu einer Nichtänderung der Einstellung führten. Dieses Nachfragen führte erwartungsgemäß nicht zu rein objektiven Aussagen, jedoch gaben die Antworten doch einen Einblick in die subjektive Sichtweise der Befragten.

Als Gründe die eine Änderung bewirkten wurden beispielhaft genannt: Eine Argumentationslinie im Strafverfahren durch den Arbeitsinspektor die nicht der Wahrheit entsprach[308] und die pflichtbewusste Einstellung sich als Staatsbürger an Gesetze halten zu müssen[309]. Ein Interviewter unterstrich positiv das Auftreten des Arbeitsinspektors indem er angab: „Der hat das eingesehen und war nicht pampert. Einfach menschlich. Auch wenn es nichts gebracht hat. Aber ich habe zu ihm gesagt: `Gehen wir wo hin, sagen Sie mir was und wo man was ändern kann.` Wir haben einfach offen kommuniziert." [310]

Auf der anderen Seite wurden beispielhaft Gründe genannt die nicht zu einer Änderung führten. So wurde einerseits das Strafverfahren als eine reine Farce und Abzocke gesehen[311] und andererseits führte ein Befragter sachlich aus: „Wenn ich zu schnell gefahren bin und Strafe zahlen muss, verändert sich ja meine Einstellung gegenüber der Polizei nicht."[312]

Mit der Frage, ob der Strafrahmen bei Übertretungen von ArbeitnehmerInnenschutzvorschriften für angemessen, für zu niedrig bzw. für zu hoch angesehen wird, wollte der Autor den Interviewpartnern alle Möglichkeiten anbieten, um zu ehrlichen Antworten zu kommen. Es war dem Autor bereits bei der Formulierung der Frage bewusst, dass es wohl wenige Personen gibt, die nach einem Strafverfahren einen

---

[307] AGVSeinf 3 (2021).
[308] Vgl. AGTAschwer 10 (2021).
[309] Vgl. AGArbIG 1 (2021).
[310] AGVSschwer 4 (2021).
[311] Vgl. AGVSschwer 7 (2021).
[312] AGTAschwer 9 (2021).

Strafrahmen für zu niedrig erachten würden. Diese Annahme des Autors fand eine Bestätigung, da kein Interviewter den Strafrahmen für zu niedrig befand.

Von den Befragten erachteten 22,6 % den Strafrahmen für angemessen und 77,4 % für zu hoch. Für jene Interviewten die den Strafrahmen für angemessen erachteten wird beispielhaft auf jene Aussage verwiesen, nachdem ein Strafrahmen eine „… große Bandbreite abdecken muss und eine Strafe sehr wohl auch schmerzhaft sein muss."[313]

Da jedoch erfahrungsgemäß keine Person gerne Strafen bezahlt, ist die Zahl jener die den Strafrahmen für zu hoch erachten ein weitaus größerer.

3.3 Führen Strafverfahren zu einer Einstellungs- bzw. Verhaltensänderung bei den ArbeitnehmerInnenschutzvorschriften bzw. dem ArbeitnehmerInnenschutz?

Um die Frage beantworten zu können, ob die Strafverfahren zu einer Einstellungs- bzw. Verhaltensänderung in Bezug auf die ArbeitnehmerInnenschutzvorschriften bzw. den ArbeitnehmerInnenschutz führten, ist es zuerst wichtig sich mit der Thematik zu befassen, welche Haltung die Interviewten zu diesen Vorschriften im Allgemeinen haben bzw. ob sie diese Haltung auch gegenüber ihren eigenen Beschäftigten zum Ausdruck bringen.

Alle Interviewten halten die ArbeitnehmerInnenvorschriften im Allgemeinen für wichtig. Bezeichnend hierfür ist die Formulierung „… im Großen und Ganzen …"[314], kommt diese doch mehrmals in den Interviews vor.

Aber auch wenn die Notwendigkeit der Vorschriften im Allgemeinen erkannt wird, so werden diese sehr wohl auch kritisch gesehen. So verweist beispielhaft ein Interviewter darauf, dass er die Sinnhaftigkeit einer Liege in seiner Arbeitsstätte für seine schwangere Arbeitnehmerin mit einer Arbeitsinspektorin diskutierte, da diese nicht einsehen wollte, dass sich vis á vis von seinem Geschäftslokal ein Ärztezentrum befindet und die Schwangere sich nicht hinlegen konnte, da das Kind dann auf ihre

---

[313] AGTAschwer 5 (2021).
[314] AGTAeinf 1 (2021), AGVSeinf 2 (2021), AGVSeinf 4 (2021), AGTAschwer 3 (2021), AGVSschwer 7 (2021), AGArbIG 3 (2021).

Hauptschlagader drückte.[315] Der Interviewte brachte zum Ausdruck, dass er sich von der Arbeitsinspektorin ein größeres Entgegenkommen erwartete und „ ... nicht einfach nur sagen: das steht aber so im Gesetz"[316].

Andere Befragte sehen die Vorschriften als „... eine Richtschnur. Sie sind wichtig, sonst hält sich keiner an irgendwas"[317]. Natürlich gibt es auch kritische Stimmen die die Vorschriften grundsätzlich „... für in Ordnung halten, aber es ist doch vieles ein wenig übertrieben ..."[318] und „... die Eigenverantwortung bleibt total auf der Strecke"[319]. Aber so mancher Befragter anerkennt die Weiterentwicklung der Vorschriften und erkennt „... wie ich als Lehrling begann und in der Hierarchie langsam hinaufgestiegen bin, da hat sich schon was verbessert. Wie ich als Lehrling gearbeitet habe, so lasse ich heute keinen mehr auf das Dach hinauf"[320].

Etliche Interviewpartner äußern sich auch dahingehend, dass durch die Überreglementierung die Eigenverantwortung von den Arbeitnehmerinnen bzw. Arbeitnehmern nicht mehr wahrgenommen wird[321] und einer kann seinen Sarkasmus nicht verbergen und stellte fest, dass er zwar die ArbeitnehmerInnenschutz-vorschriften im Allgemeinen für wichtig halte, obwohl er „... diese nicht auswendig gelernt ..."[322] habe.

So wie die ArbeitnehmerInnenschutzvorschriften im Allgemeinen für notwendig gesehen werden, so werden diese auch für die eigenen Beschäftigten für wesentlich erachtet.

Die Bandbreite der Antworten reichte von der zu erwartbaren Antwort, dass der Arbeitgeber eine Fürsorgepflicht gegenüber seinen Beschäftigten habe[323], über die Antwort, dass die ArbeitnehmerInnenschutzvorschriften „... für beide Seiten, für Arbeitnehmer und Arbeitgeber, gleichermaßen ..."[324] wichtig sind, bis zu den sehr wohl auch kritischen Antworten, dass zwar die ArbeitnehmerInnenschutzvorschriften

---

[315] Vgl. AGVSeinf 4 (2021).
[316] AGVSeinf 4 (2021).
[317] AGTAschwer 5 (2021).
[318] AGTAschwer 8 (2021).
[319] AGTAschwer 9 (2021).
[320] AGTAschwer 11 (2021).
[321] Vgl. AGTAschwer 9 (2021), Vgl. AGVSschwer 3 (2021), vgl. AGVSschwer 6 (2021)AGVSschwer 9 (2021), Vgl. AGArbIG 2 (2021).
[322] AGVSschwer 4 (2021).
[323] Vgl. AGTAschwer 5 (2021).
[324] AGTAschwer 7 (2021).

für die eigenen Arbeitnehmerinnen bzw. Arbeitnehmer schon wichtig sind, jedoch diese „ … bürokratischen G´schichterln …"[325] einfach zu viel sind bzw. „…, dass heute alles ein Wahnsinn ist, da du für alles irgendeinen Zettel brauchst. Wir kommen einfach nicht mehr zum Arbeiten."[326]

In diesem Zusammenhang ist es erwähnenswert, dass Aussagen die die Bürokratie betreffen nicht als Antworten zu Fragen im Hinblick auf die ArbeitnehmerInnen-schutzvorschriften im Allgemeinen, sondern im Hinblick auf die ArbeitnehmerInnen-schutzvorschriften für die eigenen Beschäftigten erfolgten. Dies lässt den Autor vermuten, dass Fragen die die ArbeitnehmerInnenschutzvorschriften im Allgemeinen berühren, von den Interviewten als doch sehr theoretisch und abstrakt betrachtet werden, geht es in den Fragen jedoch um die eigenen Arbeitnehmerinnen bzw. Arbeitnehmer, rücken die Fragen plötzlich in den persönlichen Fokus und werden diese als konkret wahrgenommen.

Die Frage ob sich durch das Strafverfahren die Einstellung zu den Arbeitnehme-rInnenschutzvorschriften geändert hat, wird von 22,6 % der Interviewten positiv und von 77,4 % negativ beantwortet (siehe Abbildung 11).

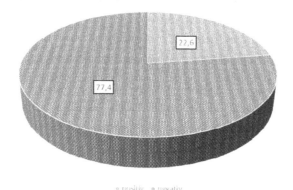

Abbildung 11: Einstellungsänderung zu ArbeitnehmerInnenschutzvorschriften durch das Strafverfahren
Quelle: eigene Darstellung.

---

[325] AGTAschwer 8 (2021).
[326] AGVSschwer 4 (2021).

Zu jenen die keine Notwendigkeit auf Änderung ihrer Einstellung sahen wird festgestellt, dass diese von einem sehr hohen Bewusstsein ob ihrer Einstellung zu den Vorschriften ausgehen und dies den Grund darstellt keine Änderung ins Auge fassen zu müssen.

Von jenen die durch das Strafverfahren ihre Einstellung änderten, wurden teils große Änderungsmaßnahmen vorgenommen. So wurde von einem Befragten beispielhaft angegeben, dass dieser nach seinem Strafverfahren nunmehr einen Arbeitnehmer beschäftigt, welcher die Ergebnisse der Begehungsberichte der Präventivdienste nochmals im Hinblick auf deren Anwendbarkeit und Gesetzeskonformität begutachtet.[327]

Ein Interviewter führte aus, dass er nach einer beträchtlichen Strafe seine Beschäftigten monatlich in einem neuerrichteten Schulungsraum unterweist, jedem seiner Beschäftigten ein Firmentelefon zur Verfügung stellt und über dieses wöchentlich die aktuellsten Informationen übermittelt.[328]

Beispielhaft für jene die ihr Verhalten aufgrund des Strafverfahrens änderten, steht wohl die Aussage eines Arbeitgebers der angab: „Wir haben viele Sachen über den Arbeitnehmerschutz nicht gewusst. Wir wissen jetzt auch noch viele Sachen nicht. Aber nun weiß ich, dass es bei der Nichteinhaltung von Vorschriften Strafen gibt. So wie beim Autofahren. Und wenn ich jetzt eine Frage habe, dann rufe ich bei der Arbeitsinspektion an. Ich will nämlich keine Strafe mehr bekommen."[329]

Auch wenn jene beiden Fragen die den Interviewpartnern gestellt wurden, nämlich die Frage „Hat sich durch das Strafverfahren Ihre Einstellung zu den ArbeitnehmerInnenschutzvorschriften geändert?" und die Frage „Hat das Strafverfahren bei Ihnen eine Verhaltensänderung in Bezug auf den ArbeitnehmerInnenschutz bewirkt?", auf den ersten Blick das Selbe meinen, so besteht doch ein wesentlicher Unterschied. Der ersten Frage liegt die Aufforderung an den Staatsbürger zugrunde, dass es dessen Pflicht ist Gesetze einzuhalten.[330] Der zweiten Frage liegt der ArbeitnehmerInnenschutz als hehres Ziel, als anzustrebende Idealvorstellung zugrunde mit dem

---

[327] Vgl. AGTAschwer 11 (2021).
[328] Vgl. AGVSschwer 4 (2021).
[329] AGArbIG 1 (2021).
[330] Vgl. Precht, Richard David, Von der Pflicht, Eine Betrachtung, 3. Auflage, München, 2021, S. 29f.

„… Ziel, den Schutz des Lebens, der Gesundheit und der Sittlichkeit der Arbeitnehmer bei Ausübung ihrer beruflichen Tätigkeit zu erreichen. … Er besteht also aus der Gesamtheit aller Maßnahmen, die dazu beitragen, Leben und Gesundheit der arbeitenden Menschen zu schützen, ihre Arbeitskraft zu erhalten und die Arbeit menschengerecht zu gestalten."[331]

Die Frage ob das Strafverfahren eine Verhaltensänderung in Bezug auf den ArbeitnehmerInnenschutz bewirkt hat, wird von 64,5 % der Interviewten positiv und von 35,5 % negativ beantwortet (siehe Abbildung 12).

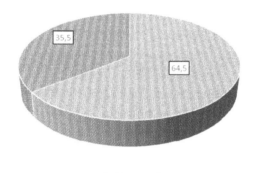

**Abbildung 12: Verhaltensänderung zum ArbeitnehmerInnenschutz durch das Strafverfahren
Quelle: eigene Darstellung.**

Beispielhaft für jene die an sich keine Verhaltensänderung feststellten werden drei Aussagen von Interviewten angeführt. So gab einer an, dass er sich nicht „… den Luxus leisten …"[332] könne, sich über die ArbeitnehmerInnenschutzvorschriften hinaus mit der Thematik des ArbeitnehmerInnenschutzes zu beschäftigten[333], ein weiterer Interviewpartner, dieser hat Migrationshintergrund, gab an, dass für ihn die Thematik des ArbeitnehmerInnenschutzes in seinem Heimatland unbekannt sei und er es daher für ausreichend ansehe sich nur an die Vorschriften zu halten[334] und

---

[331] Bundesarbeitskammer und Österreichischer Gewerkschaftsbund,
https://www.gesundearbeit.at/cms/V02/V02_1/arbeitnehmerinnenschutz (abgerufen am 10.03.2021).
[332] AGTAeinf 1 (2021).
[333] Vgl. AGTAeinf 1 (2021).
[334] Vgl. AGVSeinf 1 (2021).

einer führte aus, dass er bisher schon immer „... das maximal mögliche ..."[335] für seine Beschäftigten getan habe und er bestrebt ist sich immer an alle Gesetze und Vorschriften zu halten.[336]

Von den Befragten die durch das Strafverfahren eine Verhaltensänderung an sich in Bezug auf den ArbeitnehmerInnenschutz feststellten, ist wohl die Aussage jenes Interviewten hervorzuheben der angab, dass er sich seit seinem Strafverfahren mit der Thematik des ArbeitnehmerInnenschutzes intensiv beschäftige. Es sei für ihn nun wichtig seine Beschäftigten über seine Vorstellungen bzw. Einstellungen zum ArbeitnehmerInnenschutz zu informieren.[337] Der Befragte gab an er wisse, dass seine Einstellung zum ArbeitnehmerInnenschutz nach dem Strafverfahren ein wenig extrem sei, denn er würde die Daten seiner Lenker nunmehr „... offen auflegen, damit alle sehen wer der Blödeste ist. Denn das wirkt am besten."[338] Eine weitere bezeichnende Aussage für die Gruppe jener Interviewten die eine Verhaltens- änderung feststellten, der Inhalt dieser Aussage ist fast kongruent mit etlichen Aussagen anderer in dieser Gruppe, lautet: „Ein Mitarbeiter musste einmal einen Sicherheitshandschuh tragen, der wollte aber nicht. Da habe ich ihm gesagt er muss diese Handschuhe tragen da dies Vorschrift sei. Der Mitarbeiter wollte jedoch nicht und da habe ich ihn gekündigt."[339]

---

[335] AGTAschwer 7 (2021).
[336] Vgl. AGTAschwer 7 (2021).
[337] Vgl. AGVSschwer 7 (2021).
[338] AGVSschwer 7 (2021).
[339] AGArbIG 1 (2021).

4. Resumée

In diesem Kapitel erfolgt die Beantwortung der Hypothesen und der Forschungsfragen.

4.1 Verifizierung der Hypothesen

Im Kapitel 1.4.1 wurden drei Hypothesen aufgestellt. Es erfolgt, nach der thematischen Behandlung der Ergebnisse, wiederum die Aufnahme der Hypothesen und diese werden nunmehr beantwortet.

Hypothese 1:   *Es besteht Verbesserungspotential bei der Erklärung der weiteren Vorgehensweise durch die Organe der Arbeitsinspektion des Arbeitsinspektorates NÖ Mostviertel bei der Nichtbehebung festgestellter Übertretungen.*

Die Aussage der Hypothese 1 hat sich bestätigt.

Auch wenn 71 % der Befragten mit der Erklärung der weiteren Vorgehensweise durch die Organe der Arbeitsinspektion zufrieden waren, so waren es doch 22,6 % nicht.

Da sich auch 6,4 % der Interviewten nicht mehr an die Vorgehensweise erinnern konnten, darf davon ausgegangen werden, dass das Verhalten der Organe der Arbeitsinspektion bei 30 % der Interviewpartner nicht so einen Eindruck hinterließ, den sich die Behörde Arbeitsinspektion von ihren Mitarbeiterinnen bzw. Mitarbeitern, aber auch die Bürgerinnen bzw. Bürger von Vertretern der öffentlichen Verwaltung erwartet. Es ist daher von einem Verbesserungspotential auszugehen.

Hypothese 2:   *Die Sinnhaftigkeit von ArbeitnehmerInnenschutzvorschriften wird nicht in Frage gestellt.*

Die Aussage der Hypothese 2 hat sich bestätigt.

Der Großteil der Interviewten erachtet ArbeitnehmerInnenschutzvorschriften für notwendig, wenn auch die eine oder andere kritische Stimme auf eine Zunahme der Bürokratie verweist welche wiederum das Befolgen von Vorschriften schwerer erscheinen lässt.

Hypothese 3: Die Hinzuziehung von Präventivdiensten bei Schreiben des Arbeitsinspektorates NÖ Mostviertel wird als nicht notwendig erachtet.

Die Aussage der Hypothese 3 hat sich bestätigt.

Auch wenn die Verpflichtung der Arbeitgeberin bzw. des Arbeitgebers besteht Präventivdienste zu bestellen, so erachten es doch 77,8 % der Interviewten für nicht notwendig Schreiben des Arbeitsinspektorates (gemäß § 9 Abs. 1 ArbIG bzw. gemäß § 7 Abs. 2 ArbIG) mit den Präventivdiensten zu besprechen.

4.2 Antworten zu den Forschungsfragen

In diesem Kapitel werden die im Kapitel 1.4.1 gestellten Forschungsfragen, die Hauptfrage und die Detailfrage, beantwortet.

4.2.1 Hauptfrage

Im Kapitel 1.4.1 wurde der Forschungsbedarf, die Forschungsfrage, insofern festgelegt, als es zu erheben galt, ob es durch die rechtskräftige Bestrafung der Arbeitgeberinnen bzw. der Arbeitgeber zu einem Änderungsverhalten dieser bei der Einhaltung von ArbeitnehmerInnenschutzvorschriften kam.

Wie bereits im Kapitel 3.3 ausgeführt, hat sich die Einstellung zu den ArbeitnehmerInnenschutzvorschriften für 22,6 % der Befragten positiv geändert, wogegen 77,4 % keine Notwendigkeit im Hinblick auf eine Änderung ihrer Einstellung sahen. Hierbei wurde jedoch festgestellt, dass jene Befragten die eine Einstellungsänderung für nicht notwendig erachteten, laut deren Selbsteinschätzung, von einem sehr hohen ArbeitnehmerInnenschutzniveau ihres Unternehmens ausgehen.

Betrachtet man diese Aussagen und verbindet diese entsprechend des Kapitel 3.3 mit den Antworten zur Frage ob das Strafverfahren eine Verhaltensänderung in Bezug auf den ArbeitnehmerInnenschutz bewirkt hat, diese Frage wurde von 64,5 % der Interviewten positiv beantwortet, erfolgt die Beantwortung der Hauptfrage dahingehend, dass die rechtskräftige Bestrafung zu einem Änderungsverhalten führte.

4.2.2 Detailfrage

Als Ergänzung zur Hauptfrage, wurde im Kapitel 1.4.1 auch eine Detailfrage fest-
gelegt. Mit dieser galt es zu erheben ob das Handeln bzw. der Umgang durch die
Organe der Arbeitsinspektion des Arbeitsinspektorates NÖ Mostviertel von den
Arbeitgeberinnen bzw. den Arbeitgebern als ethisches Handeln im Sinne Immanuel
Kants wahrgenommen wird.

Im Sinne Kants ist es daher wichtig, dass Organe der Arbeitsinspektion ein Verhalten
an den Tag legen welches nicht von Eigeninteressen geleitet ist. Dies bedeutet, dass
die Organe ihre persönlichen Neigungen und Vorlieben hintanzuhalten und sich nur
ihrer im Arbeitsinspektionsgesetz normierten Aufgabe zu widmen haben. So bildet
der kategorische Imperativ Kants der lautet „Handle nur nach derjenigen Maxime,
durch die du zugleich wollen kannst, dass sie ein allgemeines Gesetz werde"[340], den
wohl idealen Zugang eines Organes der Arbeitsinspektion für dessen wichtige Aufgabe.

Ein Organ der Arbeitsinspektion hat, legt er ein Verhalten entsprechend des kate-
gorischen Imperativs an den Tag, sein Gegenüber, d.h. in der gegenständlichen
Arbeit sind das die Arbeitgeberinnen bzw. Arbeitgeber, gleichwertig zu betrachten.
Ergänzend wird festgehalten, dass ein Organ der Arbeitsinspektion sein ethisches
Handeln respektvoll, neutral und integer ausüben, sowie nach den moralischen
Grundsätzen der Redlichkeit, der Gerechtigkeit und der Höflichkeit ausrichten soll.[341]

Von den Interviewten gaben 83,9 % an, dass sie von den Organen der Arbeitsinspektion ein ethisches Verhalten erwarten würden, 9,7 % verneinten dies und
6,4 % äußerten sich neutral bzw. hatten hierzu keine Meinung (siehe Abbildung 13).

---

[340] Anmerkung des Autors: siehe Fußnote 31.
[341] Anmerkung des Autors: siehe Fußnote 27.

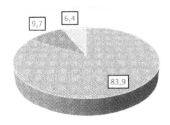

9,7   6,4

83,9

* pro ethisches Verhalten   * contra ethisches Verhalten
  neutral bzw. keine Meinung

Abbildung 13: Erwartungshaltung an das ethische Verhalten der Organe der Arbeitsinspektion, Quelle: eigene Darstellung.

Im Hinblick auf die Erwartungshaltung gaben 90,3 % an, dass bei Organen der Arbeitsinspektion, dies sind immerhin Öffentlich Bedienstete, sehr wohl eine fundierte Aus- und Weiterbildung, insbesondere hinsichtlich der Ethik, für notwendig gehalten wird[342]. Der Unterschied zur Erwartungshaltung im Hinblick auf ein entsprechendes ethisches Handeln, hier lag die Zustimmung bei 83,9 %, liegt offensichtlich darin, dass das Anspruchsdenken hinsichtlich der Qualifikation Öffentlich Bediensteter ein hohes ist und erfährt dies durch die Angabe eines Interviewten eine Bestätigung, da dieser aussagt, dass man „... als Staatsbürger und Steuerzahler darauf vertrauen darf, dass die durch Steuern finanzierten Angestellten eine ordentliche Ausbildung erfahren."[343]

Das Anspruchsdenken muss aber in die Richtung gehen, dass der Öffentliche Dienst auch hinsichtlich ethischen Handelns geschult wird.[344] Gerade den Organen der Arbeitsinspektion mit den wichtigen Aufgaben der Kontrolle und der Beratung wird die Notwendigkeit eines ethischen und werteorientierten Handelns zugeschrieben.[345]

Bevor den Interviewten die 4 Fragen zum Bereich der Ethik gestellt wurden, wurde ihnen der Kodex[346] hinsichtlich des ethischen Verhaltens in der Arbeitsinspektion vorgestellt. 74,2 % der Interviewten gaben an, dass sie bei den Organen der Arbeits-

---

[342] Vgl. AGVSeinf 1 (2021), Vgl. AGVSeinf 4 (2021), Vgl. AGTAschwer 2 (2021), Vgl. AGVSschwer 8 (2021).
[343] AGArbIG 1 (2021).
[344] Vgl. AGArbIG 3 (2021).
[345] Vgl. AGTAeinf 2 (2021), Vgl. AGVSeinf 1 (2021), Vgl. AGTAschwer 2 (2021).
[346] Anmerkung des Autors: siehe Fußnote 27.

inspektion im Hinblick auf deren Handeln bzw. Umgangs ein ethisches Verhalten wahrnehmen.

Mehrfach wurde angegeben sollte die Organisation Arbeitsinspektion den Anspruch haben als *die* ArbeitnehmerInnenschutzbehörde wahrgenommen zu werden, denn immerhin ist die Arbeitsinspektion die einzige ArbeitnehmerInnenschutzorganisation mit dem Auftrag der Kontrolle und der Beratung, dann müsste die Arbeitsinspektion an sich arbeiten um als Vorbild auftreten zu können.[347] Daher müsse bereits beim Aufnahmeverfahren in die Arbeitsinspektion Wert daraufgelegt werden, dass nur Personen aufgenommen werden die ein entsprechendes ethisches Handeln an den Tag legen können[348] und müsste auch eine diesbezügliche ständige Fortbildung erfolgen. [349]

Ein Interviewter führte aus, dass eine Organisation in der heutigen Zeit, und gerade wenn es sich um eine staatliche Organisation handelt, nur durch ethisches Handeln ihre Glaubwürdigkeit unter Beweis stellt und ihr Dasein legitimiert. Und dies tue die Arbeitsinspektion.[350]

Somit wird die Detailfrage ob das Handeln bzw. der Umgang durch die Organe der Arbeitsinspektion des Arbeitsinspektorates NÖ Mostviertel von den Arbeitgeberinnen bzw. den Arbeitgebern als ethisches Handeln im Sinne Immanuel Kants wahrgenommen wird, positiv beantwortet.[351]

---

[347] Vgl. AGTAeinf 2 (2021), Vgl. AGVSeinf 1 (2021), Vgl. AGTAschwer 4 (2021), AGTAschwer 6 (2021).

[348] Vgl. AGTAschwer 11 (2021), Vgl. AGVSschwer 4 (2021), Vgl. AGArbIG 2 (2021).

[349] Vgl. AGTAeinf 1 (2021), Vgl. AGVSeinf 2 (2021).

[350] AGArbIG 2 (2021).

[351] Anmerkung des Autors: Im Hinblick auf das ethische Handeln der Organe der Arbeitsinspektion wird auf „Seewald, Peter, Ethik in der Arbeitsinspektion – ein Widerspruch? Eine Studie im Bereich der Arbeitsinspektion in Österreich, Hamburg, 2014", hingewiesen. Die Antwort zur Detailfrage bestätigt die Studie aus dem Jahr 2014. Bei der Studie im Jahr 2014 stand zwar das ethische Handeln der Organisation Arbeitsinspektion im Fokus, da jedoch eine Organisation nur durch ihre natürlichen Personen handeln kann, ist der Vergleich statthaft.

5. Ausblick

Wie bereits in der gegenständlichen Studie festgestellt wurde, erwarten Arbeit-geberinnen und Arbeitgeber von den Organen der Arbeitsinspektion ein ethisches Verhalten. Auch wenn ein beträchtlich hoher Prozentsatz der Interviewten ein ethi-sches Handeln bei den Organen sieht, dies ist umso bemerkenswerter da es sich bei den Interviewten um Bestrafte in einem Verwaltungsstrafverfahren handelt welches aufgrund einer Anzeige eben der Organe erfolgte, so darf nicht außer Acht gelassen werden, dass die Notwendigkeit eines ethischen und werteorientierten Handelns gesehen wird.

Gerade diese angesprochene Notwendigkeit des ethischen und wertorientierten Handelns bedarf eines strukturierten Prozesses im Hinblick auf die geeignete Perso-nalauswahl beim Aufnahmeverfahren in die Arbeitsinspektion. Es muss bereits bei der Aufnahme sichergestellt werden, dass nur Personen aufgenommen werden die für ein ethisches und werteorientiertes Handeln geeignet sind. Weiters ist durch eine ständige verpflichtende Fortbildung zu gewährleisten, dass die seitens des Gesetz-gebers und der Öffentlichkeit an die Arbeitsinspektion gestellten Erwartungen best-möglich sichergestellt werden.

Die Akzeptanz der Bevölkerung, somit auch der Arbeitgeberinnen bzw. der Arbeit-geber, ist in Zukunft nur dann gegeben, wenn eine staatliche Behörde transparent kommuniziert welche Aufgaben sie wahrzunehmen hat. So wie sich die gesellschaft-liche Struktur laufend verändert, so verändert sich auch das Anspruchsdenken der Gesellschaft an die Behörden. Hier erscheint es dem Autor wichtig festzuhalten, dass auch eine Behörde gut beraten ist sich laufend an die diversen gesellschaftlichen Veränderungen anzupassen. Diese Anpassung erfolgt jedoch nicht von heute auf morgen, d.h. das Schlechteste sind Top-down-Prozesse. Die Akzeptanz einer Behörde lebt davon, dass eine Behörde nicht nur als Behörde, sondern auch durch ihre handelnden Personen, in gegenständlicher Arbeit sind dies die Organe der Arbeitsinspektion, wahrgenommen wird. Eine Kultur einer Organisation kann sich nur dann entwickeln, wenn Werte auf denen sie basiert, vorgegeben, vorgelebt und weitergegeben werden.

Gerade bei den vorgegebenen Werten ist es wichtig, dass diese, sei es beispielhaft durch das Leitbild der Arbeitsinspektion[352] oder durch den Internationalen Kodex für professionelles und ethisches Verhalten in der Arbeitsinspektion[353], den Organen der Arbeitsinspektion nicht nur einmal bekanntgemacht werden, sondern sind diese Werte in Dienstprüfungskursen und in weiteren regelmäßigen Abständen zu vermitteln.

Nicht unerheblich ist jedoch auch, dass Werte nur dort gelebt werden wo sie auch vorgelebt werden. Für dieses Vorleben von Werten sind vor allem die Führungskräfte in die Pflicht zu nehmen, d.h. bei einem Ausschreibungsverfahren ist festzulegen, dass sich nur Personen mit bereits absolvierten Ethik- bzw. Werteseminaren bewerben können. Des Weiteren ist auch nach der Bestellung zur Führungskraft verstärktes Augenmerk auf eine laufende Fortbildung hinsichtlich eines ethischen und werteorientierten Handelns zu legen.

Auch wenn in den letzten Jahren versucht wurde den Begriff der Ethik in der Öffentlichen Verwaltung in Österreich zu implementieren, so erfolgte dies meistens in Verbindung mit der Thematik der Korruption. So wurde etwa am 18. November 2020 der neue „Verhaltenskodex zur Korruptionsprävention. Eine Frage der Ethik" im öffentlichen Dienst im Ministerrat beschlossen[354] und wurde auch ein E-Learning zum Verhaltenskodex[355] umgesetzt.

Doch das Ansprechen von Ethik, konkretisierend das ethische Handeln, darf sich nicht nur in der Verbindung zur Korruption erschöpfen. Folgt man dem Internationalen Kodex für professionelles und ethisches Verhalten in der Arbeitsinspektion, so „… stellt die Leitlinie einen ethischen Rahmen mit sechs weit gefassten Werten zur Verfügung:

---

[352] Vgl. Bundesministerium für Arbeit, Sektion Arbeitsrecht und Zentral-Arbeitsinspektorat, https://www.arbeitsinspektion.gv.at/Agenda/Die_Arbeitsinspektion/Leitbild.html (abgerufen am 04.03.2021).
[353] Anmerkung des Autors: siehe Fußnote 27.
[354] Vgl. Bundesministerium für Kunst, Kultur, öffentlichen Dienst und Sport, https://www.oeffentlicherdienst.gv.at/moderner_arbeitgeber/korruptionspraevention/verhaltenskodex/Verhaltenskodex.html (abgerufen am 29.03.2022).
[355] Vgl. Bundesministerium für Kunst, Kultur, öffentlichen Dienst und Sport, https://cdn.bitmedia.at/elearning/bmkoes/bmkoes_fde/ (abgerufen am 29.03.2022).

1. Wissen und Kompetenz
2. Redlichkeit und Integrität
3. Höflichkeit und Respekt
4. Objektivität, Neutralität und Fairness
5. Engagement und Ansprechbarkeit
6. Übereinstimmung zwischen persönlichem und beruflichem Verhalten"[356], und auch die Grundsätze des Leitbilds der Arbeitsinspektion weisen auf ein werteorientiertes Handeln hin:

„ ... Wir gehen in unserem Aufgabenbereich gesetzeskonform und nach einheitlichen Grundsätzen vor.

- Wir handeln überparteilich, vermittelnd, fair und konsequent. Wir versuchen zu überzeugen.

- Wir achten entgegengebrachtes Vertrauen und wahren die Vertraulichkeit.

- Wir entscheiden rasch, möglichst unbürokratisch und in vielen wesentlichen Fragen selbstständig und eigenverantwortlich.

- Wir stehen in direktem Kontakt mit der Arbeitswelt, arbeiten praxisbezogen und beraten unentgeltlich und persönlich.

- Für Notfälle sind wir rund um die Uhr erreichbar.

- Zusammenarbeit und Erfahrungsaustausch nehmen bei unserer Arbeit einen hohen Stellenwert ein.

- Eine genaue Erfassung und Auswertung unserer Tätigkeit ermöglicht uns das Setzen von Schwerpunkten und zielgerichtetes Handeln.

- Wir gehen verantwortungsvoll mit öffentlichen Mitteln um, indem wir Arbeitsabläufe laufend verbessern und die Effizienz und Qualität unserer Arbeit durch den richtigen Einsatz und die Förderung unserer Mitarbeiterinnen und Mitarbeiter steigern." [357]

---

[356] Anmerkung des Autors: siehe Fußnote 27.
[357] Bundesministerium für Arbeit, Sektion Arbeitsrecht und Zentral-Arbeitsinspektorat, https://www.arbeitsinspektion.gv.at/Agenda/Die_Arbeitsinspektion/Leitbild.html (abgerufen am 04.03.2021).

Sollte die Organisation Arbeitsinspektion einen Kodex ähnlich dem „Verhaltenskodex zur Korruptionsprävention. Eine Frage der Ethik" initiieren, so wird empfohlen den erwähnten Internationalen Kodex und auch das Leitbild der Arbeitsinspektion einzuarbeiten.

Es wird somit festgestellt, dass aus der gegenständlichen Studie eine Reihe von Empfehlungen ableitbar sind:

1. Da sich die gegenständliche Studie und die Interviews nur auf den Zuständigkeitsbereich des ehemaligen Arbeitsinspektorates NÖ Mostviertel bezog, wird empfohlen eine österreichweite Studie durchzuführen um auch etwaig regionale Unterschiede hinsichtlich der Thematik, inwiefern Verwaltungsstrafen eine Änderung der Einstellung zu den ArbeitnehmerInnenschutzrechten und zur Behörde Arbeitsinspektion bewirken, zu erfassen.

2. Es sind Kriterien festzulegen, nach denen bereits beim Aufnahmeverfahren in die Arbeitsinspektion jene Personen ausgewählt werden die für ein ethisches und werteorientiertes Handeln geeignet sind.

3. Es sind bei Ausschreibungsverfahren für Führungskräfte bereits absolvierte Ethik- bzw. Werteseminare einzufordern.

4. In den Dienstprüfungskursen ist speziell auf die Ethik, den Verhaltenskodex und das Leitbild der Arbeitsinspektion einzugehen.

5. Jede Arbeitsinspektorin bzw. jeder Arbeitsinspektor hat im Abstand von maximal 5 Jahren verpflichtend an einer Fortbildungsveranstaltung hinsichtlich ethischen und werteorientierten Handelns teilzunehmen.

Abschließend wird festgestellt, dass die Organe der Arbeitsinspektion ihre Tätigkeit als Dienstleistung für die Bürgerinnen und Bürger sehen sollten und es daher als unabdingbar notwendig gesehen wird, dass ein ethisches und werteorientiertes Handeln als Selbstverständlichkeit verstanden werden sollte, um die Organe der Arbeitsinspektion als Typus des modernen Dienstleisters[358] bezeichnen zu können.

---

[358] Vgl. Seewald, Peter, Die Organe der Arbeitsinspektion – Typus des modernen Dienstleisters, Eine empirische Studie im Umfeld des Arbeitsinspektorates St. Pölten, München, 2012, S. 39.

Literaturverzeichnis

Androsch, Hannes, Das Ende der Bequemlichkeit, 7 Thesen zur Zukunft Österreichs, 1. Auflage, Wien, 2013, S. 47.

Aristoteles, Nikomachische Ethik, Buch III, Stuttgart, 1969.

Bauer, Helfried / Dearing, Elisabeth, Bürgernaher aktiver Staat, Public Management und Governance, Wien, 2013.

Behnke, Nathalie, Alte und Neue Werte im öffentlichen Dienst, in: Blanke, Bernhard / von Bandemer, Stephan / Nullmeier, Frank / Wewer, Göttrik (Hrsg.), Handbuch zur Verwaltungsreform, Wiesbaden, 2011, S. 340 – S. 349.

Benedikt, Heinrich, Monarchie der Gegensätze, Wien, 1947.

Biwald, Peter, Demographischer Wandel und Konsequenzen für das Personalmanagement im Public Sector, in: KDZ-Forum Public Management 4/09, Wien, 2009, S. 18.

Brodbeck, Karl-Heinz, Ethik und Moral, Eine kritische Einführung, Würzburg, 2003.

Burger, Rudolf, Nur das Volk zu befragen, ergibt keine politische Richtung, Im Gespräch, in: KURIER, 15. April 2012, S. 10 – S. 11.

Dearing, Elizabeth, Verwaltungsreform in der Bundesverwaltung, in: Neisser, Heinrich / Hammerschmid, Gerhard (Hrsg.), Die innovative Verwaltung. Perspektiven des New Public Management in Österreich. Schriftenreihe des Zentrums für Angewandte Politikforschung, Wien, 1998, S. 437 – S. 456.

Drs, Monika, Das Arbeitsrecht in der Kirche: individualrechtliche Aspekte, in: Rungaldier, Ulrich u.a. (Hrsg.), Arbeitsrecht und Kirche, Zur arbeitsrechtlichen und sozialrechtlichen Stellung von Klerikern, Ordensangehörigen und kirchlichen Mitarbeitern in Österreich, Wien, 2006.

Drucker, Peter, Was ist Management. Das Beste aus 50 Jahren, München, 2002.

Dvorák, Johann, Politikwissenschaftliche Bemerkungen über den modernen Staat und über Theorien zum modernen Staat, in: Dvorák, Johann / Mückler, Hermann (Hrsg.): Staat – Globalisierung – Migration, Wien, 2011, S. 31 – S. 54.

Faust, Thomas, Verwaltungsethik in der Praxis – „Harte" und „weiche" Gesichtspunkte, in: Zeitschrift für Wirtschafts- und Unternehmensethik (Heft 2), 2008, S. 244 – S. 262.

Fiedler, Franz, Zum Geleit, in: Megner, Karl, Beamtenmetropole Wien 1500 – 1938, Bausteine zu einer Sozialgeschichte der Beamten vorwiegend im neuzeitlichen Wien, Wien, 2010, S. V – S. IX.

Flatz, Angelika, Vorwort, Qualitätsmanagement mit dem CAF, Leitfaden für die CAF-Anwendung, Bundesministerium für Frauen und Öffentlichen Dienst im Bundeskanzleramt Österreich, 2. Auflage, Wien, 2011, S. 3 – S. 4.

Flick, Uwe, Qualitative Sozialforschung, Eine Einführung, 5. Auflage, 2012.

Friedländer, Otto, Letzter Glanz der Märchenstadt. Das war Wien um 1900, Wien, München, 1969.

Friedmann, Jan, Der Volkserzieher, in: Spiegel Geschichte, Nr. 6/2009, S. 98 – S. 100.

Geppl, Monika / Hajek, Wolfgang / Thaller Andreas, Wirkungsorientierte Steuerung in der österreichischen Bundesverwaltung, in: Bauer, Helfried / Biwald, Peter / Dearing, Elisabeth (Hrsg.), Gutes Regieren, Konzepte – Realisierungen – Perspektiven, Wien – Graz, 2011, S. 421 – S. 430.

Grimmer, Klaus, Verwaltungsreform durch Nutzung der Informations- und Kommunikationstechnik, Theoretisch-praktische Grundlagen, Arbeitspapiere der Forschungsgruppe Verwaltungsautomation Nr. 51, Kassel, 1990.

Grimmer, Klaus, Öffentliche Verwaltung in Deutschland, Wiesbaden, 2004.

Grunow, Dieter, Die öffentliche Verwaltung in der modernen Gesellschaft, Münster, 2003.

Gutjahr-Löser, Peter, Staatsinfarkt: wie die Politik die öffentliche Verwaltung ruiniert, Hamburg, 1998.

Heesen, Peter, Ethik in der öffentlichen Verwaltung – Zur Einführung, in: Trappe, Tobias (Hrsg.), Ausgewählte Probleme der Verwaltungsethik (I), Frankfurt, 2013, S. 15 – S. 18.

Heindl, Waltraud, Josephinische Mandarine, Bürokratie und Beamte in Österreich, Band 2: 1848 bis 1914, Wien, Köln, Weimar, 2013.

Heinisch-Hosek, Gabriele, Vorwort, in: Das Personal des Bundes 2012. Daten und Fakten, Bundesministerium für Frauen und Öffentlichen Dienst, Sektion III, Wien, 2012, S. 1.

Hengstschläger, Johannes/Leeb, David, Verwaltungsverfahrensrecht, Verfahren vor den Verwaltungsbehörden und Verwaltungsgerichten, 6., überarbeitete Auflage, Wien, 2018.

Hochleitner, Albert, Neue Arbeitswelt und Technologie, in: Wailand, Georg (Hrsg.), Unsere Zukunft ist bunt, Das ganz andere Österreich, Ergebnisse aus der UNIQA-Zukunftsstudie, Wien, Hamburg, 1999, S. 73 – S. 76.

Horster, Detlef, Ethik, Stuttgart, 2009.

Höffe, Otfried, Lexikon der Ethik, 7. neubearbeitete und erweiterte Auflage, München, 2008.

Hug, Theo / Poscheschnik, Gerald, Empirisch Forschen, Konstanz, 2010.

Huhnholz, Klemens / Röber, Manfred, Verwaltungsmodernisierung und Verwaltungsethik, Auf der Suche nach Zusammenhängen zwischen New Public Management und Korruption, in: Reinermann, Heinrich (Hrsg.), Verwaltung & Management, 17. Jahrgang, Heft 3, 2011, S. 115 – S. 133.

Kalb, Herbert / Potz, Richard / Schinkele, Brigitte, Religionsrecht, Wien, 2003.

Kellermann, Paul, Arbeitnehmer/innen – Schutz aus soziologischer Sicht, in: Resch, Reinhard (Hrsg.), Arbeitnehmerschutz, Schutz für Gesundheit, Sittlichkeit und Vermögen, Wien, 2005, S. 13 – S. 17.

Kromrey, Helmut, Empirische Sozialforschung, Modelle und Methoden der standardisierten Datenerhebung und Datenauswertung, 12. überarbeitete und ergänzte Auflage, Stuttgart, 2009.

Krüger, Michael, Leitbildgestützter Organisationswandel als Vermittlungsaufgabe zwischen gegensätzlichen Werten, in: Schweitzer, Gerd / Müller, Ulrich / Adam, Thomas (Hrsg.), Wert und Werte im Bildungsmanagement: Nachhaltigkeit – Ethik - Bildungscontrolling, Bielefeld, 2010, S. 97 – S. 116.

Lampert Emanuel, Das größte und vielseitigste Unternehmen Österreichs, in: GÖD – Der öffentliche Dienst aktuell, Wien, Ausgabe 7/November 2013, S. 9.

Lehner, Oskar, Österreichische Verfassungs- und Verwaltungsgeschichte, 4. Auflage, Linz, 2007.

Makolm, Josef / Wimmer, Maria, Zielsetzung und Motivatoren für Wissensmanagement in der öffentlichen Verwaltung, in: Makolm, Josef /Wimmer, Maria / Parycek, Peter (Hrsg.): Wissensmanagement in der öffentlichen Verwaltung: Konzepte, Lösungen und Potentiale, Wien, 2005, S. 3 – S. 18.

Mazohl, Astrid / Mazohl, Richard, 111 Jahre Arbeitsinspektorat Wiener Neustadt, Arbeitssicherheit im Wandel der Zeit, Wiener Neustadt, 1997.

Megner, Karl, Beamtenmetropole Wien 1500 – 1938, Bausteine zu einer Sozialgeschichte der Beamten vorwiegend im neuzeitlichen Wien, Wien, 2010.

Mei-Pochtler, Antonella, in: trend. Das Wirtschaftsmagazin, Nr. 17/2020, S. 27, 24. April 2020.

Meuser, Michael / Nagel, Ulrike, Experteninterview und der Wandel der Wissensproduktion, in: Bogner, Alexander / Littig, Beate / Menz, Wolfgang (Hrsg.), Experteninterviews, Theorien, Methoden, Anwendungsfelder, 3., grundlegend überarbeitete Auflage, Wiesbaden, 2009, S. 35 – S. 60.

Mommsen, Hans, „Wohlerworbene Rechte" und Treuepflichten, Geschichte und Gegenwart des deutschen Beamtentum, in: Grottian, Peter (Hrsg.): Wozu noch Beamten? Vom starren zum schlanken Berufsbeamtentum, Hamburg, 1996, S. 19 – S. 36.

Moser, Josef, Potenziale für eine Verwaltungsreform aus Sicht des Rechnungshofes, in: Managementforum 2010, Public Management in Zeiten der Budgetkonsolidierung, Wien, 2010, S. 29 – S. 43.

Moser, Josef, Verwaltungsreform aus Sicht des Rechnungshofes – Stand und Perspektiven, in: Bauer, Helfried / Biwald, Peter / Dearing, Elisabeth (Hrsg.), Gutes Regieren, Konzepte – Realisierungen – Perspektiven, Wien – Graz, 2011, S. 557 – S. 579.

Obermair, Anna, New Public Sector Management und die Verwaltungsreform in Österreich, WIFO, Wien, Monatsberichte 3/1999, S. 213 – S. 223.

Oberndorfer, Peter, Die Verwaltung im politisch-gesellschaftlichem Umfeld, in: Holzinger, Gerhart / Oberndorfer, Peter / Raschauer, Bernhard (Hrsg.), Österreichische Verwaltungslehre, Wien, 2006, S. 33 – S. 105.

o.V. 125 Jahre Arbeitsinspektion in Österreich, Die Arbeitsinspektion im Wandel der Zeit, Wien, 2009.

o.V. Aristoteles, in: Gaede, Peter-Matthias (Hrsg.), GEO Themenlexikon, Band 14, Ideen, Denker, Visionen, Mannheim, 2007.

o.V., Ethik, in: Gaede, Peter-Matthias (Hrsg.), GEO Themenlexikon, Band 14, Philosophie, Ideen, Denker, Visionen, Mannheim, 2007.

o.V., Ethik „Grundlegung zur Metaphysik der Sitten", in: Gaede, Peter-Matthias (Hrsg.), GEO Themenlexikon, Band 14, Philosophie, Ideen, Denker, Visionen, Mannheim, 2007.

o.V., Franz Joseph I., in: Gaede, Peter-Matthias (Hrsg.), GEO Themenlexikon, Band 17, Epochen, Menschen, Zeitenwenden, Mannheim, 2007.

o.V., Hitler, in: Gaede, Peter-Matthias (Hrsg.), GEO Themenlexikon, Band 18, Epochen, Menschen, Zeitenwenden, Mannheim, 2007.

o.V., Joseph II., in: Gaede, Peter-Matthias (Hrsg.), GEO Themenlexikon, Band 18, Epochen, Menschen, Zeitenwenden, Mannheim, 2007.

o.V., Kant, in: Gaede, Peter-Matthias (Hrsg.), GEO Themenlexikon, Band 14, Philosophie, Ideen, Denker, Visionen, Mannheim, 2007.

o.V., Kaunitz, in: Gaede, Peter-Matthias (Hrsg.), GEO Themenlexikon, Band 18, Epochen, Menschen, Zeitenwenden, Mannheim, 2007.

o.V., Maria Theresia, in: Gaede, Peter-Matthias (Hrsg.), GEO Themenlexikon, Band 18, Epochen, Menschen, Zeitenwenden, Mannheim, 2007.

o.V., Maximilian I., in: Gaede, Peter-Matthias (Hrsg.), GEO Themenlexikon, Band 18, Epochen, Menschen, Zeitenwenden, Mannheim, 2007.

o.V., Popper, in: Gaede, Peter-Matthias (Hrsg.), GEO Themenlexikon, Band 14, Philosophie, Ideen, Denker, Visionen, Mannheim, 2007.

o.V., Weber, in: Gaede, Peter-Matthias (Hrsg.), GEO Themenlexikon, Band 14, Philosophie, Ideen, Denker, Visionen, Mannheim, 2007.

o.V., Die Heilige Schrift, 1. Auflage der Antiqua-Hausbibel, Stuttgart, 1982.

Öhlinger, Theo, Der öffentliche Dienst zwischen Tradition und Reform, Wien, 1992.

Popper, Karl Raimund, Auf der Suche nach einer besseren Welt, Vorträge und Aufsätze aus dreißig Jahren, 9. Auflage, München, 1997.

Poulios, Kimon, Führung in der öffentlichen Verwaltung aus Sicht der Führungskräfte, Saarbrücken, 2009.

Portisch, Hugo, Was jetzt, 1. Auflage, Salzburg, 2011.

Precht, Richard David, Von der Pflicht, Eine Betrachtung, 3. Auflage, München, 2021.

Püringer, Joe, Die Entwicklung des Arbeitsrechts in Österreich. in: Ausbildung zur Sicherheitsfachkraft, 6. Auflage, Band 1, Wien, 2014.

Recker, Marie-Luise, Sozialpolitik, in: Benz, Wolfgang / Graml, Hermann / Weiß, Hermann (Hrsg.): Enzyklopädie des Nationalsozialismus. 5. Auflage, München, 2007.

Rotter, Manfred, Antworten ohne Fragen – Fragen ohne Antworten in der Schriftenreihe der Heeresunteroffiziersakademie 6, Berufsethische Bildung, Wien, 2005, S. 61 – S. 64.

Schedler, Kuno / Proeller, Isabella, New Public Management, 3. Aufl., Bern 2006.

Schelling, Hans Jörg, Wir müssen in Prävention investieren, in: FORMAT, Sonderheft zu FORMAT 33 (2011), S. 45.

Schelling, Hans Jörg, Weniger ausgeben als einnehmen, in: trend, Wien, Ausgabe 5/2014, S. 28 – S. 33.

Schimetschek, Bruno, Der österreichische Beamte, Geschichte und Tradition, Wien, 1984.

Schulz, Manfred, Gründe und Auswege für die Existenzkrise Europas, in: trend, August 2013, S. 42 – S. 43.

Schüssel, Therese / Zoellner Erich, Das Werden Österreichs, Ein Arbeitsbuch für Österreichische Geschichte, 3. Auflage, Wien, 1975.

Schwarenthorer, Franz, Wirkungsorientierung – ein Instrument zur Auswahl von Einsparungspotential?, in: Managementforum 2010, Public Management in Zeiten der Budgetkonsolidierung, Bundeskanzleramt Österreich, Verwaltungsakademie des Bundes, Wien, 2010, S. 56 – S. 67.

Schwarz, Alois, Ruhetag oder Tag des Herrn? Im Interview mit Stephan Baier, Die Tagespost, Katholische Wochenzeitung für Politik, Gesellschaft und Kultur, 4. März 2021, Würzburg, Jahrgang 74, Nr. 9, S. 2.

Seewald, Peter, Webportal der Arbeitsinspektion, Nutzen, Handlungsveränderungen und Erwartungen der „Organe des Arbeitnehmerschutzes", Saarbrücken, 2010.

Seewald, Peter, Das Webportal der Arbeitsinspektion, Ausgezeichnet zum Amtsmanager 2007, aber wie zufrieden sind eigentlich die KundInnen damit?, in: Inside, Nr. 1, März 2010, S. 3 – S. 4.

Seewald, Peter, Arbeitnehmerschutz in den römisch-katholischen Pfarrämtern, Eine empirische Studie über die Pfarrämter in der Stadt St. Pölten, München, 2011.

Seewald, Peter, Die Organe der Arbeitsinspektion – Typus des modernen Dienstleisters, Eine empirische Studie im Umfeld des Arbeitsinspektorates St. Pölten, München, 2012.

Seewald, Peter, Ethische Handlungen im Bereich der Arbeitsinspektion in Österreich, Eine Betrachtung unter der Perspektive des Berufsethos und der Verwaltungsethik, München, 2014.

Seewald, Peter, Ethik in der Arbeitsinspektion – ein Widerspruch?, Eine Studie im Bereich der Arbeitsinspektion in Österreich, Hamburg, 2014.

Seewald, Peter, ArbeitnehmerInnenschutz in Sakristeien der römisch-katholischen Kirche in Österreich, Relevanz des ArbeitnehmerInnenschutzgesetzes und Zuständigkeit der Arbeitsinspektion, Hamburg, 2015.

Stolz, Otto, Grundriss der österreichischen Verfassungs- und Verwaltungsgeschichte. Ein Lehr- und Handbuch, Innsbruck – Wien, 1951.

Straub, Eberhard, Die Hinternationale, in: Spiegel Geschichte, Nr. 6/2009, S. 140 – S. 143.

Tojner, Michael, Finanzmarkt(de)stabilität und Staatschuldenkrisen, in: Tojner, Michael (Hrsg.), Staatsschuldenkrisen und Staatsinsolvenzen, Kapitalmarkt und Volkswirtschaft, Melk, 2012, S. 9 – S. 78.

von Lucke, Jörn, Portale für die öffentliche Verwaltung – Governmental Portal, Departmental Portal und Life-Event Portal, in: Reinermann, Heinrich / von Lucke, Jörn (Hrsg.), Portale in der öffentlichen Verwaltung, Forschungsbericht, Band 205, 2. Auflage, Speyer, 2000, S. 7 – S. 20.

Weber, Max, Wirtschaft und Gesellschaft, Tübingen, 1922, S. 126.

Welan, Manfried, Republik der Mandarine? Ein Beitrag zur Bürokratie- und Beamtenrechtsdiskussion, Diskussionspapier Nr. 57-R-96, Institut für Wirtschaft, Politik und Recht, Universität für Bodenkultur, Wien, 1996.

Wroblewski, Andrea / Leitner, Andrea, Zwischen Wissenschaftlichkeitsstandards und Effizienzansprüchen, ExpertInneninterviews in der Praxis der Maßnahmenevaluation, in: Bogner, Alexander / Littig, Beate / Menz, Wolfgang (Hrsg.), Experteninterviews, Theorien, Methoden, Anwendungsfelder, 3., grundlegend überarbeitete Auflage, Wiesbaden, 2009, S. 259 – S. 276.

Zinkl, Werner, Fairness und Gerechtigkeit, zentrale Ergebnisse der „Welser Erklärung", in: Bauer, Helfried / Biwald, Peter / Dearing, Elisabeth (Hrsg.), Gutes Regieren, Konzepte – Realisierungen – Perspektiven, Wien – Graz, 2011, S. 401 – S. 410.

Sonstige Quellen

Allgemeine Unfallversicherungsanstalt (AUVA), Online verfügbar unter URL: http://www.auva.at/mediaDB/MMDB136738_ASQS-Bericht%202007.pdf (abgerufen am 17.01.2014).

Archiv für die Geschichte der Soziologie in Österreich, Online verfügbar unter URL: http://agso.uni-graz.at/marienthal/biografien/bach_alexander_von.htm (abgerufen am 04.03.2021).

Bundesarbeitskammer und Österreichischer Gewerkschaftsbund, Online verfügbar unter URL: https://www.gesundearbeit.at/cms/V02/V02_1/arbeitnehmerinnenschutz (abgerufen am 04.03.2021).

Bundeskanzleramt Österreich, Online verfügbar unter URL: https://bka.ldap.gv.at/#/person/EnCcPQcAIF4kLM52KD0wEbIu5Qrr85Ni9meOXgj uu1sCrt02x9ekLadYdMsa5yXOJG_VqOaIb3dqX_I5NK619Q (abgerufen am 04.03.2021).

Bundesministerium für Arbeit, Sektion Arbeitsrecht und Zentral-Arbeitsinspektorat, Online verfügbar unter URL: https://www.arbeitsinspektion.gv.at/Agenda/Die_Arbeitsinspektion/Aufgaben_der _Arbeitsinspektion.html (abgerufen am 04.03.2021).

Bundesministerium für Arbeit, Sektion Arbeitsrecht und Zentral-Arbeitsinspektorat, Online verfügbar unter URL: https://www.arbeitsinspektion.gv.at/Kontakt/Ombudsstelle/Ombudsstelle_der_Arb eitsinspektion.html (abgerufen am 04.03.2021).

Bundesministerium für Arbeit, Online verfügbar unter URL: https://www.bma.gv.at/Ministerium/Bundesminister-Martin-Kocher.html (abgerufen am 15.03.2022).

Bundesministerium für Arbeit, Sektion Arbeitsrecht und Zentral-Arbeitsinspektorat, Online verfügbar unter URL: https://www.arbeitsinspektion.gv.at/Agenda/Die_Arbeitsinspektion/Leitbild.html (abgerufen am 04.03.2021).

Bundesministerium für Arbeit, Sektion Arbeitsrecht und Zentral-Arbeitsinspektorat, Online verfügbar unter URL: https://www.arbeitsinspektion.gv.at/Gesundheit im Betrieb/Gesundheit im Betrieb 1/Beratungsoffensive COVID-19.html (abgerufen am 17.03.2022).

Bundesministerium für Digitalisierung und Wirtschaftsstandort, Online verfügbar unter URL: https://www.oesterreich.gv.at/themen/dokumente_und_recht/verwaltungsstrafrecht/1/Seite.1020110.html#org (abgerufen am 04.03.2021).

Bundesministerium für Digitalisierung und Wirtschaftsstandort, Online verfügbar unter URL: https://www.oesterreich.gv.at/themen/dokumente_und_recht/verwaltungsstrafrecht/1/Seite.1020120.html (abgerufen am 04.03.2021).

Bundesministerium für Digitalisierung und Wirtschaftsstandort, Online verfügbar unter URL: https://www.oesterreich.gv.at/themen/dokumente_und_recht/verwaltungsstrafrecht/Seite.1020200.html (abgerufen am 04.03.2021).

Bundesministerium für Digitalisierung und Wirtschaftsstandort, Online verfügbar unter URL: https://www.oesterreich.gv.at/themen/dokumente_und_recht/verwaltungsstrafrecht/Seite.1020300.html (abgerufen am 04.03.2021).

Bundesministerium für Digitalisierung und Wirtschaftsstandort, Online verfügbar unter URL: https://www.oesterreich.gv.at/themen/dokumente_und_recht/verwaltungsstrafrecht/Seite.1020500.html (abgerufen am 04.03.2021).

Bundesministerium für Digitalisierung und Wirtschaftsstandort, Online verfügbar unter URL: https://www.oesterreich.gv.at/themen/dokumente_und_recht/verwaltungsstrafrecht/Seite.1020600.html (abgerufen am 04.03.2021).

Bundesministerium für Digitalisierung und Wirtschaftsstandort, Online verfügbar unter URL: https://ris.bka.intra.gv.at/Dokumente/BgblAuth/BGBLA_2021_I_30/BGBLA_2021_I_30.pdfsig (abgerufen am 03.03.2021).

Bundesministerium für Digitalisierung und Wirtschaftsstandort, Online verfügbar unter URL: https://ris.bka.intra.gv.at/Dokumente/BgblPdf/1993_27_0/1993_27_0.pdf (abgerufen am 04.03.2021).

Bundesministerium für Digitalisierung und Wirtschaftsstandort, Online verfügbar unter URL: https://www.ris.bka.gv.at/Dokumente/BgblAuth/BGBLA_2016_II_400/BGBLA_2016_II_400.pdfsig (abgerufen am 08.12.2021).

Bundesministerium für Kunst, Kultur, öffentlichen Dienst und Sport, Online verfügbar unter URL: https://www.oeffentlicherdienst.gv.at/moderner_arbeitgeber/korruptionspraevention/verhaltenskodex/Verhaltenskodex.html (abgerufen am 29.03.2022).

Bundesministerium für Kunst, Kultur, öffentlichen Dienst und Sport, Online verfügbar unter URL: https://cdn.bitmedia.at/elearning/bmkoes/bmkoes_fde/ (abgerufen am 29.03.2022).

Bundesministerium für Landesverteidigung, Online verfügbar unter URL: http://www.bundesheer.at/pdf_pool/publikationen/09_vu1_04_kpa.pdf (abgerufen am 04.03.2021).

Bundesministerium für Soziales, Gesundheit, Pflege und Konsumentenschutz, Online verfügbar unter URL: https://www.sozialministerium.at/Themen/Gesundheit/Uebertragbare-Krankheiten/Infektionskrankheiten-A-Z/Neuartiges-Coronavirus.html (abgerufen am 04.03.2021).

Coudenhove-Kalergie, Barbara, STANDARD Verlagsgesellschaft m.b.H., Online Verfügbar unter URL: http://derstandard.at/3222097/Die-Staatsdiener (abgerufen am 04.03.2021).

derStandard.at; Online verfügbar unter URL: https://www.pressreader.com/austria/der-standard/20080816/281797099782820 (abgerufen am 04.03.2021).

Deutscher Bundestag, Online verfügbar unter: http://martin-schulz.eu/wp-content/uploads/2019/12/CV_MS_deutsch.pdf (abgerufen am 04.03.2021).

Diözese St. Pölten, Online verfügbar unter: https://www.dsp.at/bischof/lebenslauf (abgerufen am 13.03.2022).

Frankfurter Allgemeine Zeitung, Online verfügbar unter URL: http://www.faz.net/aktuell/finanzen/hans-carl-von-carlowitz-er-hat-die-nachhaltigkeit-erfunden-12826006.html (abgerufen am 04.03.2021).

Johannes Kepler Universität Linz, Online verfügbar unter URL: https://www.jku.at/institut-fuer-staatsrecht-und-politische-wissenschaften/ueber-uns/team/david-leeb/ (abgerufen am 04.03.2021).

Johannes Kepler Universität Linz, Online verfügbar unter URL: https://www.jku.at/institut-fuer-staatsrecht-und-politische-wissenschaften/ueber-uns/team/johannes-hengstschlaeger/ (abgerufen am 04.03.2021).

Österreichische Nationalbibliothek, Online verfügbar unter URL: https://alex.onb.ac.at/cgi-content/alex?aid=rgb&datum=18830004&seite=0000396 (abgerufen am 04.03.2021).

Republik Österreich, Parlamentsdirektion, Online verfügbar unter URL: https://www.parlament.gv.at/PAKT/VHG/XXVII/NRSITZ/NRSITZ_00012/A_-_13_49_00_00212580.html (abgerufen am 04.03.2021).

Republik Österreich, Parlamentsdirektion, Online verfügbar unter URL: https://www.parlament.gv.at/WWER/PAD_52687/index.shtml (abgerufen am 04.03.2021).

Republik Österreich, Parlamentsdirektion, Online verfügbar unter URL: https://www.parlament.gv.at/WWER/PAD_00018/index.shtml (abgerufen am 04.03.2021).

Republik Österreich, Parlamentsdirektion, Online verfügbar unter URL: https://www.parlament.gv.at/WWER/PAD_36907/ (abgerufen am 04.03.2021).

Republik Österreich, Parlamentsdirektion, Online verfügbar unter URL: https://www.parlament.gv.at/WWER/PAD_06484/index.shtml (abgerufen am 04.03.2021).

The White House, Online verfügbar unter URL: https://www.whitehouse.gov/about-the-white-house/presidents/william-j-clinton/ (abgerufen am 04.03.2021).

Universität Wien, Online verfügbar unter URL: https://geschichte.univie.ac.at/de/personen/walter-antoniolli-o-univ-prof-dr (abgerufen am 31. März 2022).

Verein Deutscher Gewerbeaufsichtsbeamter, Internationaler Kodex für professionelles und ethisches Verhalten in der Arbeitsinspektion, Online verfügbar unter URL: http://www.vdgab.de/Ablage/IALI_GLOBAL_CODE_DE.pdf (abgerufen am 04.03.2021).

Vereinigung der Österreichischen Industrie (Industriellenvereinigung), Online verfügbar unter URL: https://www.iv.at/de/b2459 (abgerufen am 04.03.2021).

Vereinigung der Österreichischen Industrie (Industriellenvereinigung), Online verfügbar unter URL: https://www.iv.at/de/themen/wirtschaftspolitik/2020/industrie-unternehmen-in-coronavirus-krise-praxisnah-unterstutzen (abgerufen am 04.03.2021).

Verwaltungsgerichtshof der Republik Österreich, Online verfügbar unter URL: https://www.vwgh.gv.at/ (abgerufen am 04.03.2021).

Verfassungsgerichtshof der Republik Österreich, Online verfügbar unter URL: https://www.vfgh.gv.at/index.de.html (abgerufen am 04.03.2021).

Verfassungsgerichtshof der Republik Österreich, Online verfügbar unter URL: https://www.vfgh.gv.at/verfassungsgerichtshof/geschichte/gerhart_holzinger1.de.html (abgerufen am 04.03.2021).

Wiener Stadt- und Landesarchiv, Online verfügbar unter URL: https://www.geschichtewiki.wien.gv.at/Friedrich_Wilhelm_Haugwitz (abgerufen am 04.03.2021).

Wiener Stadt- und Landesarchiv, Online verfügbar unter URL: https://www.geschichtewiki.wien.gv.at/Manfried_Welan (abgerufen am 04.03.2021).

Wiener Stadt- und Landesarchiv, Online verfügbar unter URL: https://www.geschichtewiki.wien.gv.at/Peter_Drucker (abgerufen am 04.03.2021).

Wiener Stadt- und Landesarchiv, Online verfügbar unter URL: https://www.geschichtewiki.wien.gv.at/Theodor_%C3%96hlinger (abgerufen am 04.03.2021).

Wikipedia. Die freie Enzyklopädie, Online verfügbar unter URL: https://de.wikipedia.org/wiki/Antonella_Mei-Pochtler (abgerufen am 04.03.2021).

Wikipedia, Die freie Enzyklopädie, Online verfügbar unter URL: https://de.wikipedia.org/wiki/Felix_Pino_von_Friedenthal (abgerufen am 04.03.2021).

Wikipedia, Die freie Enzyklopädie, Online verfügbar unter URL: https://de.wikipedia.org/wiki/Franz_Migerka (abgerufen am 04.03.2021).

Wikipedia, Die freie Enzyklopädie, Online verfügbar unter URL: https://de.wikipedia.org/wiki/Hans_J%C3%B6rg_Schelling (abgerufen am 04.03.2021).

Wikipedia, Die freie Enzyklopädie, Online verfügbar unter URL: https://de.qwe.wiki/wiki/Publilius_Syrus (abgerufen am 04.03.2021).

Wikipedia, Die freie Enzyklopädie, Online verfügbar unter URL: https://de.wikipedia.org/wiki/Rudolf_Burger_(Philosoph) (abgerufen am 22.04.2021).

Wikipedia, Die freie Enzyklopädie, Online verfügbar unter URL: https://de.wikipedia.org/wiki/Thomas_Faust (abgerufen am 04.03.2021).

Abbildungsverzeichnis

Tabellenverzeichnis

Gesetze, Verordnungen und Verträge

Arbeitsinspektionsgesetz 1993 (ArbIG), BGBl.Nr. 27 idgF.

ArbeitnehmerInnenschutzgesetz (ASchG), BGBl.Nr. 450/1994 idgF.

Beamten-Dienstrechtsgesetz 1979 – BDG 1979, BGBl. Nr. 333 idgF.

Bundes-Bedienstetenschutzgesetz, BGBl. I Nr. 70/1999 (B-BSG) idgF.

Bundes-Verfassungsgesetz (B-VG), BGBl. Nr. 1/1930, Art. 20 zuletzt geändert durch
BGBl. I Nr. 50/2010.

Kaiserliche Verordnung vom 10. März 1860, über die Disciplinarbehandlung der k.k.
Beamten und Diener, RGBL. Nr. 64/1860.

Pensionsgesetz 1965 (PG 1965), BGBl Nr. 340 idgF.

Vertragsbedienstetengesetz 1948 – VBG, BGBl. Nr. 86 idgF.

Staatsgrundgesetz über die allgemeinen Rechte der Staatsbürger RGBl 1867/142
idF BGBl 1988/684 (StGG)

Konkordat zwischen dem Heiligen Stuhl und der Republik Österreich vom 5. Juni
1933, BGBl II 1934/2.

Bundesgesetz mit dem das Bundesministeriengesetz 1986 geändert wird
(Bundesministeriengesetz-Novelle 2020).

Verwaltungsstrafgesetz 1991 – VStG

Einführungsgesetz zu den Verwaltungsverfahrensgesetzen 2008 (EGVG)

Bundesgesetz über das Verfahren der Verwaltungsgerichte
(Verwaltungsgerichtsverfahrensgesetz – VwGVG)

Gewerbeordnung 1994 (GewO 1994) idgF.

Arbeitszeitgesetz - AZG, BGBl. Nr. 461/1969

Arbeitsruhegesetz - ARG, BGBl. Nr. 144/1983

Arbeitsruhegesetz-Verordnung - ARG-VO, BGBl. Nr. 149/1984

Krankenanstalten-Arbeitszeitgesetz - KA-AZG, BGBl. I Nr. 8/1997

Verordnung (EG) Nr. 561/2006 über die Harmonisierung bestimmter
Sozialvorschriften im Straßenverkehr, Abl. Nr. L 102 v. 11.4.2006

Verordnung (EU) Nr. 165/2014 über Fahrtenschreiber im Straßenverkehr,
Abl. Nr. L 60/1 v. 28.02.2014

Lenkprotokoll-Verordnung - LP-VO, BGBl. II Nr. 313/2017

Lenker/innen-Ausnahmeverordnung - L-AVO, BGBl. II Nr. 10/2010

Bundesgesetz über die Beschäftigung von Kindern und Jugendlichen 1987 - KJBG,
BGBl. Nr. 599/1987

Verordnung über die Beschäftigungsverbote und -beschränkungen für Jugendliche -
KJBG-VO, BGBl. II Nr. 436/1998

Wochenberichtsblatt-Verordnung, BGBl. Nr. 420/1987

Mutterschutzverordnung - MSchV , BGBl. II Nr. 310/2017

Mutterschutzgesetz 1979 - MSchG, BGBl. Nr. 221/1979

Bäckereiarbeiter/innengesetz 1996 - BäckAG 1996, BGBl. Nr. 410/1996

Heimarbeitsgesetz 1960, BGBl. Nr. 105/1961

Verordnung mit der die Verwendung von gefährlichen Stoffen oder Zubereitungen in
Heimarbeit verboten wird, BGBl. Nr. 178/1983

Allgemeine Arbeitnehmerschutzverordnung - AAV, BGBl. Nr. 218/1983

Verordnung über die Betriebsbewilligung nach dem Arbeitnehmerschutzgesetz,
BGBl. Nr. 116/1976

Verordnung über die Sicherheits- und Gesundheitsschutzdokumente - DOK-VO, BGBl. Nr. 478/1996

Arbeitsstättenverordnung - AStV, BGBl. II Nr. 368/1998

Kennzeichnungsverordnung - KennV, BGBl. II Nr. 101/2018

Aerosolpackungslagerungsverordnung, BGBl. II Nr. 347/2018

Arbeitsmittelverordnung - AM-VO, BGBl. II Nr. 164/2000

Elektroschutzverordnung 2012 - ESV 2012, BGBl. II Nr. 33/2012

Nadelstichverordnung - NastV, BGBl. II Nr. 16/2013

Grenzwerteverordnung 2018 - GKV 2018, BGBl. II Nr. 253/2001

Verordnung biologische Arbeitsstoffe - VbA, BGBl. II Nr. 237/1998

Verordnung explosionsfähige Atmosphären - VEXAT, BGBl. II Nr. 309/2004

Verordnung über die Gesundheitsüberwachung am Arbeitsplatz - VGÜ 2017, BGBl. II Nr. 27/1997

Bildschirmarbeitsverordnung - BS-V, BGBl. II Nr. 124/1998

Fachkenntnisnachweis-Verordnung - FK-V, BGBl. II Nr. 13/2007

Bühnen-Fachkenntnisse-Verordnung - Bühnen-FK-V, BGBl. II Nr. 403/2003

Sprengarbeitenverordnung - SprengV, BGBl. II Nr. 358/2004

Tagbauarbeitenverordnung - TAV, BGBl. II Nr. 416/2010

Bohrarbeitenverordnung - BohrarbV, BGBl. II Nr. 140/2005

Verordnung elektromagnetische Felder - VEMF, BGBl. II Nr. 179/2016

Verordnung Lärm und Vibrationen - VOLV, BGBl. II Nr. 22/2006

Verordnung optische Strahlung - VOPST, BGBl. II Nr. 221/2010

Verordnung Persönliche Schutzausrüstung – PSA-V, BGBl. II Nr. 77/2014

Verordnung Fachausbildung der Sicherheitsfachkräfte - SFK-VO, BGBl. Nr. 277/1995

Verordnung über die Sicherheitsvertrauenspersonen - SVP-VO, BGBl. Nr. 172/1996

Verordnung über sicherheitstechnische Zentren - STZ-VO, BGBl. II Nr. 450/1998

Verordnung über arbeitsmedizinische Zentren - AMZ-VO, BGBl. Nr. 441/1996

Bauarbeiterschutzverordnung - BauV, BGBl. Nr. 340/1994

Bauarbeitenkoordinationsgesetz - BauKG, BGBl. I Nr. 37/1999

Baustellendatenbank-Verordnung, BGBl. II Nr. 86/2012

Flüssiggas-Verordnung 2002 - FGV, BGBl. II Nr. 446/2002

Flüssiggas-Tankstellen-Verordnung 2010 - FGTV 2010, BGBl. II Nr. 247/2010

Verordnung über brennbare Flüssigkeiten - VbF, BGBl. Nr. 240/1991

Kälteanlagenverordnung, BGBl. Nr. 305/1969

Druckluft- und Taucherarbeiten-Verordnung, BGBl. Nr. 501/1973

Allgemeine Bergpolizeiverordnung, BGBl. Nr. 114/1959

Bergpolizeiverordnung für die Seilfahrt, BGBl. Nr. 14/1968

Anhang 1: Interviewverzeichnis

AGArbIG 1 (2021): Interview zum Thema „Verwaltungsstrafen und ein etwaiges Änderungsverhalten bzw. ethisches Handeln der Organe der Arbeitsinspektion", 15. Juni 2021.

AGVSschwer 1 (2021): Interview zum Thema „Verwaltungsstrafen und ein etwaiges Änderungsverhalten bzw. ethisches Handeln der Organe der Arbeitsinspektion", 15. Juni 2021.

AGTAschwer 1 (2021): Interview zum Thema „Verwaltungsstrafen und ein etwaiges Änderungsverhalten bzw. ethisches Handeln der Organe der Arbeitsinspektion", 18. Juni 2021.

AGVSeinf 1 (2021): Interview zum Thema „Verwaltungsstrafen und ein etwaiges Änderungsverhalten bzw. ethisches Handeln der Organe der Arbeitsinspektion", 18. Juni 2021.

AGTAschwer 3 (2021): Interview zum Thema „Verwaltungsstrafen und ein etwaiges Änderungsverhalten bzw. ethisches Handeln der Organe der Arbeitsinspektion", 24. Juni 2021.

AGTAschwer 2 (2021): Interview zum Thema „Verwaltungsstrafen und ein etwaiges Änderungsverhalten bzw. ethisches Handeln der Organe der Arbeitsinspektion", 24. Juni 2021.

AGVSeinf 2 (2021): Interview zum Thema „Verwaltungsstrafen und ein etwaiges Änderungsverhalten bzw. ethisches Handeln der Organe der Arbeitsinspektion", 24. Juni 2021.

AGTAeinf 1 (2021): Interview zum Thema „Verwaltungsstrafen und ein etwaiges Änderungsverhalten bzw. ethisches Handeln der Organe der Arbeitsinspektion", 24. Juni 2021.

AGTAeinf 2 (2021): Interview zum Thema „Verwaltungsstrafen und ein etwaiges Änderungsverhalten bzw. ethisches Handeln der Organe der Arbeitsinspektion", 24. Juni 2021.

AGVSeinf 3 (2021): Interview zum Thema „Verwaltungsstrafen und ein etwaiges Änderungsverhalten bzw. ethisches Handeln der Organe der Arbeitsinspektion", 24. Juni 2021.

AGVSschwer 2 (2021): Interview zum Thema „Verwaltungsstrafen und ein etwaiges Änderungsverhalten bzw. ethisches Handeln der Organe der Arbeitsinspektion", 24. Juni 2021.

AGTAschwer 5 (2021): Interview zum Thema „Verwaltungsstrafen und ein etwaiges Änderungsverhalten bzw. ethisches Handeln der Organe der Arbeitsinspektion", 30. Juni 2021.

AGTAschwer 4 (2021): Interview zum Thema „Verwaltungsstrafen und ein etwaiges Änderungsverhalten bzw. ethisches Handeln der Organe der Arbeitsinspektion", 30. Juni 2021.

AGVSschwer 3 (2021): Interview zum Thema „Verwaltungsstrafen und ein etwaiges Änderungsverhalten bzw. ethisches Handeln der Organe der Arbeitsinspektion", 30. Juni 2021.

AGArbIG 2 (2021): Interview zum Thema „Verwaltungsstrafen und ein etwaiges Änderungsverhalten bzw. ethisches Handeln der Organe der Arbeitsinspektion", 30. Juni 2021.

AGVSschwer 4 (2021): Interview zum Thema „Verwaltungsstrafen und ein etwaiges Änderungsverhalten bzw. ethisches Handeln der Organe der Arbeitsinspektion", 8. Juli 2021.

AGVSeinf 4 (2021): Interview zum Thema „Verwaltungsstrafen und ein etwaiges Änderungsverhalten bzw. ethisches Handeln der Organe der Arbeitsinspektion", 8. Juli 2021.

AGArbIG 3 (2021): Interview zum Thema „Verwaltungsstrafen und ein etwaiges Änderungsverhalten bzw. ethisches Handeln der Organe der Arbeitsinspektion", 8. Juli 2021.

AGVSschwer 5 (2021): Interview zum Thema „Verwaltungsstrafen und ein etwaiges Änderungsverhalten bzw. ethisches Handeln der Organe der Arbeitsinspektion", 12. Juli 2021.

AGVSschwer 7 (2021): Interview zum Thema „Verwaltungsstrafen und ein etwaiges Änderungsverhalten bzw. ethisches Handeln der Organe der Arbeitsinspektion", 15. Juli 2021.

AGVSschwer 6 (2021): Interview zum Thema „Verwaltungsstrafen und ein etwaiges Änderungsverhalten bzw. ethisches Handeln der Organe der Arbeitsinspektion", 15. Juli 2021.

AGTAschwer 6 (2021): Interview zum Thema „Verwaltungsstrafen und ein etwaiges Änderungsverhalten bzw. ethisches Handeln der Organe der Arbeitsinspektion", 10. August 2021.

AGTAschwer 8 (2021): Interview zum Thema „Verwaltungsstrafen und ein etwaiges Änderungsverhalten bzw. ethisches Handeln der Organe der Arbeitsinspektion", 10. August 2021.

AGTAschwer 7 (2021 Interview zum Thema „Verwaltungsstrafen und ein etwaiges Änderungsverhalten bzw. ethisches Handeln der Organe der Arbeitsinspektion", 10. August 2021.

AGTAschwer 9 (2021): Interview zum Thema „Verwaltungsstrafen und ein etwaiges Änderungsverhalten bzw. ethisches Handeln der Organe der Arbeitsinspektion", 11. August 2021.

AGTAschwer 10 (2021): Interview zum Thema „Verwaltungsstrafen und ein etwaiges Änderungsverhalten bzw. ethisches Handeln der Organe der Arbeitsinspektion", 11. August 2021.

AGVSschwer 8 (2021): Interview zum Thema „Verwaltungsstrafen und ein etwaiges Änderungsverhalten bzw. ethisches Handeln der Organe der Arbeitsinspektion", 11. August 2021.

AGTAschwer 11 (2021): Interview zum Thema „Verwaltungsstrafen und ein etwaiges Änderungsverhalten bzw. ethisches Handeln der Organe der Arbeitsinspektion", 13. August 2021.

AGVSschwer 9 (2021): Interview zum Thema „Verwaltungsstrafen und ein etwaiges Änderungsverhalten bzw. ethisches Handeln der Organe der Arbeitsinspektion", 24. August 2021.

AGVSschwer 10 (2021): Interview zum Thema „Verwaltungsstrafen und ein etwaiges Änderungsverhalten bzw. ethisches Handeln der Organe der Arbeitsinspektion", 24. August 2021.

AGVSschwer 11 (2021 Interview zum Thema „Verwaltungsstrafen und ein etwaiges Änderungsverhalten bzw. ethisches Handeln der Organe der Arbeitsinspektion", 27. September 2021.

Anhang 2: Fragebögen

I)   „041 – Technik und Arbeitshygiene"

Sachverhalt:

a) Bei einer Besichtigung Ihrer Arbeitsstätte wurde von einem Organ der Arbeitsinspektion eine Übertretung bzw. mehrere Übertretungen festgestellt. Seitens des Arbeitsinspektorates wurden Sie im Hinblick auf eine möglichst wirksame Umsetzung der ArbeitnehmerInnenschutzvorschriften beraten und mit Schreiben aufgefordert die Übertretung bzw. die Übertretungen innerhalb einer vorgegebenen Frist zu beheben und dies dem Arbeitsinspektorat mitzuteilen (§ 9 Abs. 1 ArbIG). Ein Antwortschreiben Ihrerseits erfolgte nicht. Infolge einer neuerlichen Besichtigung wurde festgestellt, dass die Übertretung bzw. die Übertretungen weiterhin bestehen und wurde an die zuständige Bezirksverwaltungsbehörde Strafanzeige erstattet (§ 9 Abs. 2 ArbIG).

b) Bei einer Besichtigung Ihrer Arbeitsstätte wurde von einem Organ der Arbeitsinspektion eine schwerwiegende Übertretung bzw. mehrere schwerwiegende Übertretungen festgestellt. Es wurde durch das Arbeitsinspektorat Strafanzeige erstattet (§ 9 Abs. 3 ArbIG).

Interview-Fragebogen zu I) „041 – Technik und Arbeitshygiene"

Sachverhalt a)

1. War für Sie die Beratung vor Ort durch ein Organ der Arbeitsinspektion bzw. der Schriftverkehr mit der Arbeitsinspektion ausreichend um die Konsequenzen bei Nichteinhaltung der ArbeitnehmerInnenschutzvorschriften zu erfassen?
Wenn ja, warum?
Wenn nein, warum nicht?

2. Betrachten Sie das Organ der Arbeitsinspektion als Ansprechperson für Ihre Interessen im ArbeitnehmerInnenschutz?

3. Was halten Sie von den ArbeitnehmerInnenschutzvorschriften im Allgemeinen?

4. Erachten Sie ArbeitnehmerInnenschutzvorschriften für Ihre Beschäftigten für notwendig?
Wenn ja, warum?
Wenn nein, warum nicht?

5. Haben Sie das Schreiben (§ 9 Abs. 1 ArbIG) des Arbeitsinspektorates im Hinblick auf die Umsetzung der ArbeitnehmerInnenschutzvorschriften mit Ihren Präventivdiensten (7. Abschnitt ASchG; Sicherheitsfachkraft, Arbeitsmediziner) besprochen?
Wenn ja, warum?
Wenn nein, warum nicht?

6. Was war der Grund bzw. die Gründe warum Sie dem Schreiben des Arbeitsinspektorates nicht nachkamen?

7. Hat sich durch das Strafverfahren Ihre Einstellung zur Behörde Arbeitsinspektion verändert?
Wenn ja, inwiefern?
Wenn nein, warum nicht?

8. Hat sich durch das Strafverfahren Ihre generelle Einstellung zu Schreiben der Behörde Arbeitsinspektion verändert?
Wenn ja, inwiefern?
Wenn nein, warum nicht?

9. Hat sich durch das Strafverfahren Ihre Einstellung zu den ArbeitnehmerInnenschutzvorschriften geändert?
Wenn ja, inwiefern?
Wenn nein, warum nicht?

10. Welche Erwartungen haben Sie an die Vorgangsweise der Arbeitsinspektion wenn Sie künftig eine Übertretung einer ArbeitnehmerInnenschutzvorschrift setzen?

11. Erachten Sie den Strafrahmen bei der Übertretung von ArbeitnehmerInnen-schutzvorschriften als für
a) angemessen?
b) zu niedrig?
c) zu hoch?

12. Hat das Strafverfahren bei Ihnen eine Verhaltensänderung in Bezug auf den ArbeitnehmerInnenschutz bewirkt?
Wenn ja, warum?
Wenn nein, warum nicht?

13. Sind Ihnen Werte der Arbeitsinspektion bekannt, nach welchen dieses ihr ethisches Handeln ausrichtet?
Wenn ja, welche? (Wenn ja --> weiter zu a.)
Wenn nein --> weiter zu b.

a) Wie haben Sie von diesen Werten Kenntnis gelangt (z.B. Informations-schreiben, Medien)?

b) Da Ihnen keine Werte bekannt sind, nach welchen Grundsätzen denken Sie, handelt die Arbeitsinspektion?

14. Wurden Sie bei Ihren bisherigen Kontakten betreffend des ethischen Handelns der Organe der Arbeitsinspektion zufriedengestellt?

15. Ist es für Sie persönlich ausreichend, wenn die Organe der Arbeitsinspektion nur im Hinblick auf die zu vollziehenden Gesetze gebildet (Aus- und Weiterbildung) werden?

16. Erachten Sie ethisches Handeln öffentlich Bediensteter als notwendig?
Wenn ja, warum?
Wenn nein, warum nicht?

Interview-Fragebogen zu I) „041 – Technik und Arbeitshygiene"

Sachverhalt b)

1. War für Sie die Beratung vor Ort durch ein Organ der Arbeitsinspektion im Hinblick auf die schwerwiegende Übertretung ausreichend um die Konsequenz hinsichtlich der umgehenden Strafanzeige zu erfassen?
   Wenn ja, warum?
   Wenn nein, warum nicht?

2. Betrachten Sie das Organ der Arbeitsinspektion als Ansprechperson für Ihre Interessen im ArbeitnehmerInnenschutz?

3. Was halten Sie von den ArbeitnehmerInnenschutzvorschriften im Allgemeinen?

4. Erachten Sie ArbeitnehmerInnenschutzvorschriften für Ihre Beschäftigten für notwendig?
   Wenn ja, warum?
   Wenn nein, warum nicht?

5. Hat sich durch das Strafverfahren Ihre Einstellung zur Behörde Arbeitsinspektion verändert?
   Wenn ja, inwiefern?
   Wenn nein, warum nicht?

6. Hat sich durch das Strafverfahren Ihre Einstellung zu den ArbeitnehmerInnen-schutzvorschriften geändert?
   Wenn ja, inwiefern?
   Wenn nein, warum nicht?

7. Welche Erwartungen haben Sie an die Vorgangsweise der Arbeitsinspektion wenn Sie künftig eine schwerwiegende Übertretung einer ArbeitnehmerInnen-schutzvorschrift setzen?

8. Erachten Sie den Strafrahmen bei der Übertretung von ArbeitnehmerInnen-schutzvorschriften als für
   a) angemessen?
   b) zu niedrig?
   c) zu hoch?

9. Hat das Strafverfahren bei Ihnen eine Verhaltensänderung in Bezug auf den ArbeitnehmerInnenschutz bewirkt?
Wenn ja, warum?
Wenn nein, warum nicht?

10. Sind Ihnen Werte der Arbeitsinspektion bekannt, nach welchen dieses ihr ethisches Handeln ausrichtet?
Wenn ja, welche? (Wenn ja –> weiter zu a.)
Wenn nein –> weiter zu b.

    a) Wie haben Sie von diesen Werten Kenntnis gelangt (z.B. Informations-schreiben, Medien)?

    b) Da Ihnen keine Werte bekannt sind, nach welchen Grundsätzen denken Sie, handelt die Arbeitsinspektion?

11. Wurden Sie bei Ihren bisherigen Kontakten betreffend des ethischen Handelns der Organe der Arbeitsinspektion zufriedengestellt?

12. Ist es für Sie persönlich ausreichend, wenn die Organe der Arbeitsinspektion nur im Hinblick auf die zu vollziehenden Gesetze gebildet (Aus- und Weiterbildung) werden?

13. Erachten Sie ethisches Handeln öffentlich Bediensteter als notwendig?
Wenn ja, warum?
Wenn nein, warum nicht?

II)   „042 – Verwendungsschutz"

<u>Sachverhalt:</u>

a) Bei einer Besichtigung Ihrer Arbeitsstätte wurde von einem Organ der Arbeitsinspektion eine Übertretung bzw. mehrere Übertretungen festgestellt. Seitens des Arbeitsinspektorates wurden Sie im Hinblick auf eine möglichst wirksame Umsetzung der ArbeitnehmerInnenschutzvorschriften beraten und mit Schreiben aufgefordert die Übertretung bzw. die Übertretungen innerhalb einer vorgegebenen Frist zu beheben und dies dem Arbeitsinspektorat mitzuteilen (§ 9 Abs. 1 ArbIG). Ein Antwortschreiben Ihrerseits erfolgte nicht. Infolge einer neuerlichen Besichtigung wurde festgestellt, dass die Übertretung bzw. die Übertretungen weiterhin bestehen und wurde an die zuständige Bezirksverwaltungsbehörde Strafanzeige erstattet (§ 9 Abs. 2 ArbIG).

b) Bei einer Besichtigung Ihrer Arbeitsstätte wurde von einem Organ der Arbeitsinspektion eine schwerwiegende Übertretung bzw. mehrere schwerwiegende Übertretungen festgestellt. Es wurde durch das Arbeitsinspektorat Strafanzeige erstattet (§ 9 Abs. 3 ArbIG).

Interview-Fragebogen zu II) „042 – Verwendungsschutz"

Sachverhalt a)

1. War für Sie die Beratung vor Ort durch ein Organ der Arbeitsinspektion bzw. der Schriftverkehr mit der Arbeitsinspektion ausreichend um die Konsequenzen bei Nichteinhaltung der ArbeitnehmerInnenschutzvorschriften zu erfassen?
Wenn ja, warum?
Wenn nein, warum nicht?

2. Betrachten Sie das Organ der Arbeitsinspektion als Ansprechperson für Ihre Interessen im ArbeitnehmerInnenschutz?

3. Was halten Sie von den ArbeitnehmerInnenschutzvorschriften im Allgemeinen?

4. Erachten Sie ArbeitnehmerInnenschutzvorschriften für Ihre Beschäftigten für notwendig?
Wenn ja, warum?
Wenn nein, warum nicht?

5. Haben Sie das Schreiben (§ 9 Abs. 1 ArbIG) des Arbeitsinspektorates im Hinblick auf die Umsetzung der ArbeitnehmerInnenschutzvorschriften mit Ihren Präventivdiensten (7. Abschnitt ASchG; Sicherheitsfachkraft, Arbeitsmediziner) besprochen?
Wenn ja, warum?
Wenn nein, warum nicht?

6. Was war der Grund bzw. die Gründe warum Sie dem Schreiben des Arbeitsinspektorates nicht nachkamen?

7. Hat sich durch das Strafverfahren Ihre Einstellung zur Behörde Arbeitsinspektion verändert?
Wenn ja, inwiefern?
Wenn nein, warum nicht?

8. Hat sich durch das Strafverfahren Ihre generelle Einstellung zu Schreiben der Behörde Arbeitsinspektion verändert?
Wenn ja, inwiefern?
Wenn nein, warum nicht?

9. Hat sich durch das Strafverfahren Ihre Einstellung zu den ArbeitnehmerInnen-schutzvorschriften geändert?
Wenn ja, inwiefern?
Wenn nein, warum nicht?

10. Welche Erwartungen haben Sie an die Vorgangsweise der Arbeitsinspektion wenn Sie künftig eine Übertretung einer ArbeitnehmerInnenschutzvorschrift setzen?

11. Erachten Sie den Strafrahmen bei der Übertretung von ArbeitnehmerInnen-schutzvorschriften als für
a) angemessen?
b) zu niedrig?
c) zu hoch?

12. Hat das Strafverfahren bei Ihnen eine Verhaltensänderung in Bezug auf den ArbeitnehmerInnenschutz bewirkt?
Wenn ja, warum?
Wenn nein, warum nicht?

13. Sind Ihnen Werte der Arbeitsinspektion bekannt, nach welchen dieses ihr ethisches Handeln ausrichtet?
Wenn ja, welche? (Wenn ja –> weiter zu a.)
Wenn nein –> weiter zu b.

a) Wie haben Sie von diesen Werten Kenntnis gelangt (z.B. Informations-schreiben, Medien)?

b) Da Ihnen keine Werte bekannt sind, nach welchen Grundsätzen denken Sie, handelt die Arbeitsinspektion?

14. Wurden Sie bei Ihren bisherigen Kontakten betreffend des ethischen Handelns der Organe der Arbeitsinspektion zufriedengestellt?

15. Ist es für Sie persönlich ausreichend, wenn die Organe der Arbeitsinspektion nur im Hinblick auf die zu vollziehenden Gesetze gebildet (Aus- und Weiterbildung) werden?

16. Erachten Sie ethisches Handeln öffentlich Bediensteter als notwendig?
Wenn ja, warum?
Wenn nein, warum nicht?

Interview-Fragebogen zu II) „042 – Verwendungsschutz"

Sachverhalt b)

1. War für Sie die Beratung vor Ort durch ein Organ der Arbeitsinspektion im Hinblick auf die schwerwiegende Übertretung ausreichend um die Konsequenz hinsichtlich der umgehenden Strafanzeige zu erfassen?
   Wenn ja, warum?
   Wenn nein, warum nicht?

2. Betrachten Sie das Organ der Arbeitsinspektion als Ansprechperson für Ihre Interessen im ArbeitnehmerInnenschutz?

3. Was halten Sie von den ArbeitnehmerInnenschutzvorschriften im Allgemeinen?

4. Erachten Sie ArbeitnehmerInnenschutzvorschriften für Ihre Beschäftigten für notwendig?
   Wenn ja, warum?
   Wenn nein, warum nicht?

5. Hat sich durch das Strafverfahren Ihre Einstellung zur Behörde Arbeitsinspektion verändert?
   Wenn ja, inwiefern?
   Wenn nein, warum nicht?

6. Hat sich durch das Strafverfahren Ihre Einstellung zu den ArbeitnehmerInnen-schutzvorschriften geändert?
   Wenn ja, inwiefern?
   Wenn nein, warum nicht?

7. Welche Erwartungen haben Sie an die Vorgangsweise der Arbeitsinspektion wenn Sie künftig eine schwerwiegende Übertretung einer ArbeitnehmerInnen-schutzvorschrift setzen?

8. Erachten Sie den Strafrahmen bei der Übertretung von ArbeitnehmerInnen-schutzvorschriften als für
   a) angemessen?
   b) zu niedrig?
   c) zu hoch?

9. Hat das Strafverfahren bei Ihnen eine Verhaltensänderung in Bezug auf den ArbeitnehmerInnenschutz bewirkt?
Wenn ja, warum?
Wenn nein, warum nicht?

10. Sind Ihnen Werte der Arbeitsinspektion bekannt, nach welchen dieses ihr ethisches Handeln ausrichtet?
Wenn ja, welche? (Wenn ja --> weiter zu a.)
Wenn nein --> weiter zu b.

    a) Wie haben Sie von diesen Werten Kenntnis gelangt (z.B. Informationsschreiben, Medien)?

    b) Da Ihnen keine Werte bekannt sind, nach welchen Grundsätzen denken Sie, handelt die Arbeitsinspektion?

11. Wurden Sie bei Ihren bisherigen Kontakten betreffend des ethischen Handelns der Organe der Arbeitsinspektion zufriedengestellt?

12. Ist es für Sie persönlich ausreichend, wenn die Organe der Arbeitsinspektion nur im Hinblick auf die zu vollziehenden Gesetze gebildet (Aus- und Weiterbildung) werden?

13. Erachten Sie ethisches Handeln öffentlich Bediensteter als notwendig?
Wenn ja, warum?
Wenn nein, warum nicht?

III) „043 – Arbeitsinspektionsgesetz"

Bei einer Besichtigung Ihrer Arbeitsstätte wurde von einem Organ der Arbeitsinspektion eine Übertretung bzw. mehrere Übertretungen festgestellt. Seitens des Arbeitsinspektorates wurden Sie im Hinblick auf eine möglichst wirksame Umsetzung der ArbeitnehmerInnenschutzvorschriften beraten und mit Schreiben aufgefordert die Übertretung bzw. die Übertretungen innerhalb einer vorgegebenen Frist zu beheben und dies dem Arbeitsinspektorat mitzuteilen (§ 9 Abs. 1 ArbIG). Ein Antwortschreiben Ihrerseits erfolgte nicht.

Es wurde Ihnen daher ein Erinnerungsschreiben, mit einer neuen Frist, zugestellt, mit welchem Ihnen mitgeteilt wurde, dass eine schriftliche Mitteilung über die Umsetzung der geforderten Maßnahmen innerhalb der festgesetzten Frist nicht eingelangt ist und Sie daher aufgefordert werden, schriftlich Auskunft zu erteilen, welche Maßnahmen gesetzt wurden (§ 7 Abs. 2 ArbIG). In diesem Schreiben wurden Sie darauf hingewiesen, dass die Verweigerung der geforderten Auskünfte strafbare Tatbestände darstellen (§ 24 ArbIG). Weiters wurde Ihnen auch mitgeteilt, dass, sollte bis zu diesem Zeitpunkt keine Mitteilung einlangen, ohne weitere Veranlassungen eine Strafanzeige erstattet wird. Ein Antwortschreiben Ihrerseits erfolgte nicht.

Infolge wurde Ihnen ein weiteres Erinnerungsschreiben, mit einer neuen Frist, nunmehr mit Rückschein, zugestellt. In diesem Schreiben wurde Ihnen mitgeteilt, dass eine schriftliche Mitteilung über die Umsetzung der geforderten Maßnahmen innerhalb der festgesetzten Frist nicht eingelangt ist und Sie daher aufgefordert werden, schriftlich Auskunft zu erteilen, welche Maßnahmen gesetzt wurden (§ 7 Abs. 2 ArbIG). In diesem Schreiben wurden Sie darauf hingewiesen, dass die Verweigerung der geforderten Auskünfte strafbare Tatbestände darstellen (§ 24 ArbIG). Weiters wurde Ihnen auch mitgeteilt, dass, sollte bis zu diesem Zeitpunkt keine Mitteilung einlangen, ohne weitere Veranlassungen eine Strafanzeige erstattet wird. Da ein Antwortschreiben Ihrerseits wiederum nicht erfolgte, wurde an die zuständige Bezirksverwaltungsbehörde Strafanzeige erstattet.

Interview-Fragebogen zu III) „043 – Arbeitsinspektionsgesetz"

1. War für Sie die Beratung vor Ort durch ein Organ der Arbeitsinspektion bzw. der Schriftverkehr mit der Arbeitsinspektion ausreichend um die Konsequenz bei Nichtmitteilung über die Umsetzung der geforderten Maßnahmen, eben die Strafanzeige, zu erfassen?
   Wenn ja, warum?
   Wenn nein, warum nicht?

2. Betrachteten Sie das Organ der Arbeitsinspektion als Ansprechperson für Ihre Interessen im ArbeitnehmerInnenschutz?

3. Was halten Sie von den ArbeitnehmerInnenschutzvorschriften im Allgemeinen?

4. Erachten Sie ArbeitnehmerInnenschutzvorschriften für Ihre Beschäftigten für notwendig?
   Wenn ja, warum?
   Wenn nein, warum nicht?

5. Haben Sie das Aufforderungsschreiben (§ 9 Abs. 1 ArbIG) bzw. das Schreiben um schriftliche Auskunft (§ 7 Abs. 2 ArbIG) des Arbeitsinspektorates mit Ihren Präventivdiensten (7. Abschnitt ASchG; Sicherheitsfachkraft, Arbeitsmediziner) besprochen?
   Wenn ja, warum?
   Wenn nein, warum nicht?

6. Was war der Grund bzw. die Gründe warum Sie den Schreiben des Arbeitsinspektorates (ein Aufforderungsschreiben, ein Erinnerungsschreiben, ein Erinnerungsschreiben mit Rückschein) nicht nachkamen?

7. Hat sich durch das Strafverfahren Ihre Einstellung zur Behörde Arbeitsinspektion verändert?
   Wenn ja, inwiefern?
   Wenn nein, warum nicht?

8. Hat sich durch das Strafverfahren Ihre generelle Einstellung zu Schreiben der Behörde Arbeitsinspektion verändert?
   Wenn ja, inwiefern?
   Wenn nein, warum nicht?

9. Hat sich durch das Strafverfahren Ihre Einstellung zu den ArbeitnehmerInnen-schutzvorschriften geändert?
Wenn ja, inwiefern?
Wenn nein, warum nicht?

10. Welche Erwartungen haben Sie an die Vorgangsweise der Arbeitsinspektion wenn Sie künftig eine Übertretung einer ArbeitnehmerInnenschutzvorschrift setzen?

11. Erachten Sie den Strafrahmen bei der Übertretung von ArbeitnehmerInnen-schutzvorschriften als für
a) angemessen?
b) zu niedrig?
c) zu hoch?

12. Hat das Strafverfahren bei Ihnen eine Verhaltensänderung in Bezug auf den ArbeitnehmerInnenschutz bewirkt?
Wenn ja, warum?
Wenn nein, warum nicht?

13. Sind Ihnen Werte der Arbeitsinspektion bekannt, nach welchen dieses ihr ethisches Handeln ausrichtet?
Wenn ja, welche? (Wenn ja --> weiter zu a.)
Wenn nein --> weiter zu b.

a) Wie haben Sie von diesen Werten Kenntnis gelangt (z.B. Informations-schreiben, Medien)?

b) Da Ihnen keine Werte bekannt sind, nach welchen Grundsätzen denken Sie, handelt die Arbeitsinspektion?

14. Wurden Sie bei Ihren bisherigen Kontakten betreffend des ethischen Handelns der Organe der Arbeitsinspektion zufriedengestellt?

15. Ist es für Sie persönlich ausreichend, wenn die Organe der Arbeitsinspektion nur im Hinblick auf die zu vollziehenden Gesetze gebildet (Aus- und Weiterbildung) werden?

16. Erachten Sie ethisches Handeln öffentlich Bediensteter als notwendig?
Wenn ja, warum?
Wenn nein, warum nicht?

Über den Autor

Hofrat Peter Seewald, BA MA MSc, wurde 1966 geboren. Er ist Leiter der Abteilung Verwendungsschutz und Stellvertreter des Amtsleiters im Fachbereich der Abteilung Verwendungsschutz des Arbeitsinspektorates NÖ Wald- und Mostviertel. Der Autor absolvierte ein Studium im Bereich e-government an der Donau-Universität Krems. Nach dem Bachelorstudium schloss er ein Studium im Bereich Public Management an der Fachhochschule Campus Wien mit dem akademischen Grad Master of Arts in Business erfolgreich ab. Der Autor beschäftigt sich publizistisch unter anderem mit Themen wie dem ArbeitnehmerInnenschutz in römisch-katholischen Pfarrämtern, dem Webportal der österr. Arbeitsinspektion, der Wahrnehmung von Funktionen des Arbeitsinspektors sowie ethischen Handlungen im Bereich der Arbeitsinspektion. Darüber hinaus absolvierte der Autor eine Theologische Ausbildung im Rahmen der „Wiener Theologischen Kurse".

CPSIA information can be obtained
at www.ICGtesting.com
Printed in the USA
BVHW091803050722
641272BV00016B/893

9 783961 468980